Chefs-d'œuvre du **J. Paul Getty Museum**

PHOTOGRAPHIES

Chefs-d'œuvre du J. Paul Getty Museum

PHOTOGRAPHIES

THAMES & HUDSON

Texte rédigé par Gordon Baldwin, Julian Cox, Michael Hargraves, Judith Keller, Anne Lyden, John McIntyre, Weston Naef et Katherine Ware

Les photographies suivantes sont reproduites avec l'aimable autorisation des propriétaires de leur copyright :
no. 31 © Aperture Foundation
no. 32 © 1981 Arizona Board of
    Regents, Center for Photography
no. 34 © Man Ray Trust ARS-ADAGP
no. 43 © Estate of André Kertész
no. 44 © Willard and Barbara Morgan
    Archives
no. 47 © Estate of Lisette Model
no. 49 © Frederick Sommer
no. 50 © Estate of Edmund Teske

Le J. Paul Getty Museum remercie The Walker Evans Archive au Metropolitan Museum of Art pour sa collaboration.

© 1999 The J. Paul Getty Museum
1200 Getty Center Drive
Suite 1000
Los Angeles, California 90049-1687

Conçu et réalisé par Thames and Hudson, Londres, et publié en collaboration avec le J. Paul Getty Museum

Publié en France par Thames & Hudson SARL, Paris

Traduit de l'anglais par Florence Levy-Paoloni
Traduction française © 1999 Thames & Hudson SARL, Paris

Cet ouvrage a été reproduit et achevé d'imprimer en septembre 1998 par l'imprimerie C.S. Graphics pour les Éditions Thames & Hudson
Photogravure d'Articolor, Vérone, Italie

Dépôt légal : 1er trimestre 1999
ISBN : 2-87811-149-4
Imprimé et relié à Singapour

SOMMAIRE

AVANT-PROPOS

Tandis que le XXe siècle touche à sa fin et que se profile le XXIe siècle, le moment semble venu de publier une sélection des photographies du J. Paul Getty Museum et de célébrer ainsi l'unique forme artistique de nos collections qui témoigne de la vie contemporaine.

La photographie est entrée au Getty Museum en 1984, année où les administrateurs ont décidé d'acquérir l'intégralité de plusieurs collections privées importantes : celles de Samuel Wagstaff, Volker Kahmen et Georg Heusch, ainsi que celle de Bruno Bischofberger. Dans un effort soigneusement orchestré pour constituer une collection exceptionnelle en quelques mois, une part importante de trois autres collections est venue s'y ajouter – celles d'Arnold Crane, d'André et Marie-Thérèse Jammes et de Daniel Wolf –, tandis que douze collections plus petites et plus spécialisées venaient compléter les premières acquisitions du Musée – les collections de Seymour Adelman, Michel Auer et Werner Bockelberg notamment, ainsi que la succession de Ralston Crawford et les collections de Krystyna Gmurzynska, Gerd Sander, Wilhelm Schurmann et Jürgen et Ann Wilde. Une fois déballées et inventoriées à Malibu, les acquisitions comprenaient 25 000 tirages, 1 500 daguerréotypes et autres objets sur support, 475 albums comportant près de 40 000 photographies et environ 30 000 stéréographies et cartes de visite. La nouvelle collection du Getty Museum, entièrement réunie par des connaisseurs éclairés, s'est tout de suite affirmée comme un centre majeur d'étude et d'exposition de l'art photographique, que les centaines de photographies achetées chaque année depuis lors ont permis d'élargir et d'approfondir.

Weston Naef, conservateur du département de Photographie du Musée, et sa remarquable équipe ont, au cours de ces dix dernières années, organisé, catalogué, conservé, exposé et publié cette inestimable mine de documents. Ils ont monté quarante-cinq expositions et conçu vingt ouvrages différents. Dans les nouvelles galeries du Musée, au Getty Center, où l'espace d'exposition a presque triplé par rapport à celui de Malibu, ils peuvent montrer une part beaucoup plus importante de la collection ; dans la nouvelle salle d'étude, où l'on a installé de grandes tables et de hautes fenêtres, un plus grand nombre de visiteurs a désormais accès aux œuvres du fonds. C'est l'équipe de conservateurs du département de Photographie qui a préparé cet ouvrage : Gordon Baldwin, Julian Cox, Michael Hargraves, Judith Keller, Anne Lyden, John McIntyre et Katherine Ware. Je leur en suis infiniment reconnaissante, ainsi que pour la réussite de leur travail dans un des départements les plus complexes du Musée.

DEBORAH GRIBBON
Directrice associée et conservatrice en chef

1   WILLIAM HENRY FOX
    TALBOT
    Anglais, 1800–1877
    La Colonne Nelson,
    hiver 1843–1844

    Tirage au sel d'après un négatif
    sur papier
    17 x 21 cm
    84.XM.478.19

En janvier 1839, le rêve que partageaient les écrivains et les artistes depuis des siècles devint réalité, quand William Henry Fox Talbot en Angleterre et Louis-Jacques-Mandé Daguerre en France révélèrent le moyen, qu'ils avaient découvert chacun séparément, de faire des photographies. Le support de Talbot était le papier, tandis que Daguerre utilisait des plaques de cuivre recouvertes d'argent. Talbot, humaniste formé à Cambridge en même temps que scientifique, avait étudié la physique, la botanique et un grand nombre d'autres sciences. Au début des années 1830, il s'intéressa à la lumière et à la façon de fixer chimiquement des images ; il conçut alors l'idée d'un négatif photographique capable de produire de nombreux tirages positifs.

La photographie de Talbot montrant la colonne Nelson en construction est, d'un point de vue politique, historique. Trafalgar Square fut construit en hommage à la victoire navale et à la mort en 1805 de l'amiral Horatio Nelson à la bataille de Trafalgar, au large des côtes espagnoles. La transformation de la place entraînée par la construction de l'énorme monument de William Railton – couronné, à son sommet, par une statue en bronze de Nelson de 5,2 mètres – fut l'objet de vives controverses dans les années 1840. De nombreux riverains craignaient qu'elle détruise la vue qu'on avait des marches de la National Gallery vers Whitehall. Le socle de la colonne écrasait par son intrusion démesurée les édifices voisins, telle l'église de St. Martin-in-the-Fields. La photographie de Talbot prend ainsi le parti de ceux pour qui les constructions colossales étaient "une monstruosité absolue".

Talbot continua de photographier Trafalgar Square pendant plusieurs années. Précurseur du photo-journalisme moderne, il fut le premier à rendre compte de cette manière des événements de son époque. On remarque sur la palissade entourant le chantier les affiches collées près des mots "défense d'afficher" *("no bills")* : Talbot a saisi l'humour de cette juxtaposition dans sa composition.   MH

2   ANNA ATKINS
Anglaise, 1791–1871
ANN DIXON
Anglaise, 1799–1877
Equisetum sylvaticum, 1853
Tiré de l'album *Cyanotypes of British and Foreign Ferns*
(Cyanotypes des fougères d'Angleterre et d'ailleurs)

Cyanotype
25,4 x 20 cm
84.XO.277.45

On ne sait presque rien de la vie d'Anna Atkins, l'une des premières femmes photographes. Elle apprit le procédé du cyanotype à partir des informations envoyées par son inventeur, Sir John Herschel, à son ami John George Children, conservateur du département d'histoire naturelle au British Museum – qui était son père. Les cyanotypes, qui se reconnaissent à leur couleur bleue, nécessitent l'emploi de sels ferriques (à la place de sels d'argent) appliqués sur le papier et séchés ensuite dans l'obscurité. En plaçant un objet sur le papier qui vient d'être sensibilisé et en l'exposant directement au soleil, on obtient un photogramme, c'est-à-dire une photographie réalisée sans l'aide d'un appareil. L'image qui en résulte est un contour détaillé sur fond bleu brillant (cyan), comme on le voit ici. Très intéressée par la botanique, Anna Atkins se lança dans la production de cyanotypes des spécimens d'algues et de fougères qu'elle collectionnait.

Elle comprit tout de suite les avantages que l'on pouvait tirer de cette nouvelle technique pour illustrer des ouvrages ; de 1843 à 1853, elle imprima et relia elle-même ses photographies dans le livre *British Algae: Cyanotype Impressions*. Elle participa au long et laborieux processus consistant à exposer et à imprimer chaque image dans des albums faits à la main, et fut la première à publier un ouvrage scientifique avec des pages composées de véritables photographies, dont chacune présentait un spécimen botanique.

À la mort de son père en 1853, Anna Atkins fut réconfortée par son amie intime, Ann Dixon, qui partageait son intérêt pour la photographie. À cette époque, elles réalisèrent toutes deux un album comportant une centaine de photographies et ayant pour titre *Cyanotypes of British and Foreign Ferns*, d'où est tirée cette image. L'ouvrage fut présenté au neveu d'Ann, Henry Dixon, lui-même passionné par la photographie. Comme les cyanotypes d'algues, ces images de fougères sont exquises par leurs détails délicats et leur somptueuse couleur bleue. Cet *Equisetum sylvaticum* juxtapose les fougères avec bonheur : le désordre des brins à l'extrême droite contraste avec l'organisation gracieuse des autres tiges, légèrement penchées, qui s'incurvent sur la feuille d'une manière qui anticipe l'art du XXᵉ siècle. La disposition soigneuse des différentes fougères sur la page donne à ce cyanotype un charme qui dépasse de loin l'objectif scientifique d'identification de spécimens.   AL

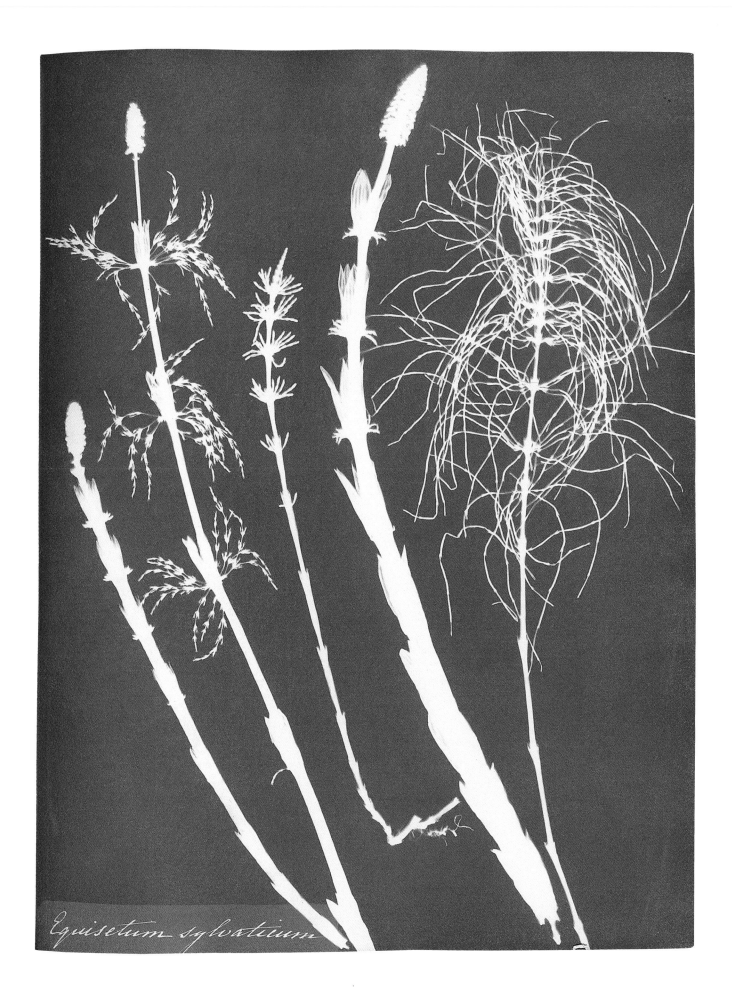

Equisetum sylvaticum

3　DAVID OCTAVIUS HILL
Écossais, 1802–1870
ROBERT ADAMSON
Écossais, 1821–1848
Elizabeth Rigby (Lady Eastlake),
vers 1843–1847

Tirage au sel
20,9 x 14,3 cm
84.XM.445.21

Peu après les débuts de la photographie, l'association inattendue du jeune ingénieur Robert Adamson et du peintre respecté David Octavius Hill produisit l'une des photographies les plus importantes de l'histoire de cet art. Répondant à la suggestion de l'éminent scientifique Sir David Brewster, Hill s'associa avec Adamson, dont l'atelier photographique était situé à Édimbourg. En ayant recours à la photographie pour réaliser sa grande peinture historique des personnages impliqués dans le schisme de l'Église d'Écosse de 1843, Hill fut tout de suite captivé par cette nouvelle forme artistique. Durant les quatre ans et demi que dura leur association d'avant-garde, rompue par la mort prématurée d'Adamson, Hill et le jeune ingénieur réalisèrent un nombre étonnamment important d'images.

Les deux photographes, qui travaillaient en Écosse et n'étaient donc pas entravés par le brevet d'invention anglais de Talbot, étaient libres d'explorer la technique du calotype. Les fibres visibles du papier pour aquarelle de très grande qualité qu'utilisaient Hill et Adamson, à la fois pour les négatifs et pour les tirages, adoucissaient l'image et créaient un effet pictural. Hill écrivit d'ailleurs : "La texture rêche et inégale du papier est la cause principale du manque de détails du calotype par rapport au daguerréotype … et ce qui en fait l'intérêt."

Elizabeth Rigby était écrivain et critique en même temps qu'apôtre de la photographie. En 1849, elle épousa Sir Charles Eastlake, qui allait devenir le premier président de la Royal Photographic Society. Juste après Hill lui-même, Elizabeth Rigby fut le modèle favori des deux photographes ; elle apparaît sur plus de vingt calotypes. Ce portrait très intériorisé de la jeune femme est teinté de mélancolie. Avec ses yeux baissés, sa grande croix autour du cou et sa main gantée qui repose timidement sur sa robe, elle semble perdue dans ses rêveries. Bien que Hill et Adamson aient adroitement composé la scène pour qu'elle paraisse se situer à l'intérieur, la jeune femme est appuyée contre un treillis de jardin ; l'atelier de Hill et Adamson était en réalité installé à l'extérieur de la maison car la prise de vue nécessitait une forte lumière naturelle. Les putti sculptés sur la gauche et le livre posé sur la table ne servent pas seulement à rendre crédible l'intérieur fictif ; ils soulignent la nature contemplative du modèle et font référence à ses dons intellectuels d'écrivain et de critique d'art.　AL

4   CALVERT RICHARD
     JONES
     Gallois, 1804–1877
     Étude panoramique en deux
     parties de Margam Hall avec
     personnages, vers 1845

     Tirage au sel à partir d'un calotype
     comme négatif
     Chaque partie : 22,5 x 18,6 cm
     89.XM.75.1–.2

Calvert Jones appartenait au cercle restreint d'amis et de relations de l'un des inventeurs de la photographie, William Henry Fox Talbot. Ayant étudié à l'université d'Oxford, à la fois excellent dessinateur et violoncelliste, Jones eut l'occasion de connaître Talbot et ses découvertes parce qu'il était un ami proche du cousin de l'inventeur, Christopher Rice Mansel Talbot, riche propriétaire terrien du sud du Pays de Galles. Jones devint un défenseur passionné du calotype après en avoir reçu quelques spécimens envoyés par Talbot en juin 1841.

Il trouva le meilleur usage de cet appareil de prises de vues dans le domaine du paysage et de l'architecture, comme le montre cette étude de Margam Hall, un manoir de style Tudor gothique construit peu de temps auparavant pour Christopher Talbot, d'après les plans de l'architecte Thomas Hopper. En tant que dessinateur, Jones aimait tout particulièrement dessiner les manoirs de ses amis, en y introduisant souvent des personnages au premier plan. Dans ce panorama en deux parties, il a placé quelques

membres élégamment vêtus de la famille Talbot et de la famille Jones, qui forment des groupes discrets sur les terres du domaine. Jones a disposé ses sujets de façon à donner toute son importance à la façade pittoresque dont les toits pointent vers le ciel comme une suite irrégulière de notes de musique. Les personnages, qui se détachent à peine du manoir, donnent l'échelle de l'architecture et offrent un aperçu du tissu social intime des familles de propriétaires terriens dans le sud du Pays de Galles à l'époque victorienne.

Peu satisfait du champ visuel trop étroit des objectifs utilisés à l'époque, Jones fut l'un des premiers photographes à faire des études panoramiques à partir de négatifs accolés qu'il appelait "images doubles". Le fait qu'il ait saisi le potentiel de la photographie, qui pouvait élargir son cadre par un procédé simple et non technique, reflète son esprit d'artiste, recherchant continuellement des compositions originales dans la nature et expérimentant les possibilités esthétiques de l'appareil photographique en regard de sa propre vision.

JC

5 JOHN JABEZ EDWIN
   MAYALL
   Anglais, 1810–1901
   Le Crystal Palace à Hyde Park,
   Londres, 1851

   Daguerréotype sur plaque impériale
   30,5 x 24,6 cm
   84.XT.955

   Détail au verso

John Jabez Edwin Mayall, né en Angleterre, à Manchester, sous le nom de Jabez Meal, devint l'un des pionniers anglais du daguerréotype. Curieusement, la reine Victoria, se trompant sur la nationalité de son compatriote, dit de lui un jour : "C'est l'homme le plus étrange que j'aie jamais vu… mais un excellent photographe… il est Américain." Elle n'était pas la seule à remarquer le comportement excentrique et charismatique de Mayall.

Mayall partit pour les États-Unis et commença à étudier la photographie à l'université de Pennsylvanie, sous la direction du professeur Hans Martin Boyé, vers 1844. Il étendit le domaine du daguerréotype au-delà du portrait avec son panorama des chutes du Niagara, qui date de 1845, et dont le peintre J.M.W. Turner fit l'éloge. À peu près à la même époque, Mayall réalisa une série de daguerréotypes illustrant le Notre-Père, sujet très insolite pour la photographie. Après une carrière couronnée de succès à Philadelphie, il revint en Angleterre en 1846. Il travailla d'abord pour l'illustre daguerréotypiste français Antoine-François-Jean Claudet, qui vivait à Londres. L'année suivante, il fonda son propre atelier de portraits à Londres, près de la célèbre Adelaide Gallery. Lorsque le public commença à commander des portraits et des cartes de visite (ornées de petites photographies), Mayall devint l'un des photographes les plus prospères de Grande-Bretagne.

Il réalisa des daguerréotypes du Crystal Palace à Hyde Park, site de la Grande Exposition de 1851, la première exposition internationale des arts et de l'industrie. L'exposition connut un grand succès et attira plus de six millions de visiteurs durant les cinq mois où elle fut ouverte au public. Le corps principal du bâtiment novateur en fer, en bois et en verre mesurait 563 mètres de long, 124 mètres de large et 33 mètres de haut dans le transept central. La structure, faite d'éléments de fer préfabriqués et de murs de verre, créa un modèle d'architecture pour les foires internationales qui allaient suivre. La magnificence de l'espace et le soleil qui se déversait à travers les baies vitrées rendaient d'autant plus étranges les juxtapositions du plan de l'édifice.

Mayall était connu pour son utilisation de grandes plaques, qui permirent à ses daguerréotypes de rendre l'impression de profondeur et d'espace immense que devaient ressentir les visiteurs de l'exposition. Les daguerréotypes courants mesuraient environ $2\frac{3}{4}$ x $3\frac{1}{4}$ pouces ; la plaque impériale nécessitait un appareil et un objectif spéciaux pour enregistrer l'image sur une plaque de presque 12 x 10 pouces. Cette image, ainsi que d'autres de la série, fut acclamée comme une prouesse technique et l'on pense aujourd'hui que Mayall produisit certains des plus grands daguerréotypes jamais réalisés.

MH

6   ROGER FENTON
Anglais, 1820–1869
La Vallée de l'ombre de la mort,
1855

Tirage à l'albumine
27,4 x 34,7 cm
84.XM.504.23

Roger Fenton fut le plus célèbre photographe anglais du milieu du XIXe siècle. Après des études de droit, puis de peinture, il se consacra à partir de 1852 à la photographie. Instigateur principal de la création de l'organisme qui allait devenir la Royal Photographic Society, il en fut aussi le collaborateur le plus assidu, de la première exposition annuelle de 1853 jusqu'à 1862, année où il abandonna la photographie. Les œuvres qu'il exposait représentaient principalement des paysages et des études architecturales pour la réalisation desquelles il sillonnait l'Angleterre, le Pays de Galles et l'Écosse. En 1852, lors d'une expédition à Kiev pour rendre compte de la construction d'un pont, il prit les premières photographies que l'on connaisse de Moscou et de Saint-Pétersbourg. En 1854, il fut engagé par le British Museum pour photographier une partie des collections – il fut le premier photographe à avoir été employé régulièrement par un musée. Fenton avait à cœur de voir la photographie parvenir au niveau des réalisations artistiques des arts établis, notamment de la peinture ; c'est pourquoi il fit, à la fin des années 1850, une série de scènes de genre orientalistes et de natures mortes.

Fenton obtint sa première reconnaissance publique pour ses photographies de la guerre de Crimée, prises en 1855 dans la péninsule de Crimée sur la mer Noire, où l'Angleterre, alliée avec la France, le Royaume-des-deux-Siciles et la Turquie, se battait contre la Russie. Un éditeur de Manchester, William Agnew, avait commandé à Fenton une série d'images du front. L'expédition était aussi financée par la reine Victoria et le prince Albert, qui pensaient peut-être que ces photographies pourraient apporter un soutien à une guerre impopulaire. À cause des limites de la technique photographique de l'époque, Fenton ne pouvait pas saisir la bataille avec son appareil ; à la place, il fit des vues des objectifs militaires et des sites de campement et de bataille, ainsi que des portraits d'officiers et de groupes de soldats. Son travail en Crimée constitua le premier reportage systématique, à grande échelle, sur une guerre.

Les troupes appelaient l'endroit où Fenton prit cette vue la Vallée de l'ombre de la mort, parce qu'elle était fréquemment balayée par le feu des canons russes afin d'empêcher les soldats britanniques de s'approcher d'un emplacement russe vulnérable. Fenton lui-même se trouva sous le feu de l'ennemi lorsqu'il y installa son appareil mais, sans sourciller, il emporta avec lui le boulet de canon en souvenir. L'austère éloquence de ce paysage désolé jonché de projectiles a rarement été égalée pour exprimer la dévastation entraînée par la guerre. Le négatif de Fenton, du collodion sur du verre, était hypersensible à la lumière bleue ; le ciel était donc surexposé et apparaissait sur le tirage comme une masse grise éteinte, intensifiant le vide rempli de détresse de la scène.

GB

7   JULIA MARGARET
    CAMERON
    Anglaise (née en Inde),
    1815–1879
    *Le Murmure de la muse /
    Portrait de G.F. Watts*, avril 1865

    Tirage à l'albumine
    26,1 x 21,5 cm
    84.XZ.186.96

Julia Margaret Cameron commença sa carrière de photographe à l'âge de quarante-huit ans, lorsque sa fille et son gendre lui offrirent un appareil photographique. Avec toute la force de son extraordinaire volonté, elle entreprit de créer des photographies en accord avec les objectifs de l'art : "J'aspire à ennoblir la photographie et à lui assurer le caractère et les usages des beaux-arts en combinant le réel et l'idéal et en ne sacrifiant rien de la vérité par le plus grand dévouement possible à la poésie et à la beauté." Épouse d'un juriste et réformateur judiciaire renommé, Julia Margaret Cameron évoluait dans les plus hautes sphères de la société victorienne anglaise. Elle était liée par le sang, l'amitié ou les relations mondaines à un grand nombre de personnes influentes et elle se servit de son réseau complexe d'appuis pour rendre son art plus populaire.

Julia Margaret Cameron puisait un grand nombre de ses sujets dans le cercle étendu de sa famille et de ses amis. George Frederick Watts (1817–1904), l'un des chefs de file de la peinture de son époque, posa souvent pour elle. Théoricien et prosélyte infatigable, Watts était un missionnaire de l'art ; il cherchait, à travers son œuvre, à améliorer la condition humaine. Il partageait avec Julia Margaret Cameron sa vision d'un panthéon victorien capable de transcender son époque.

Sur cette photographie, Julia Margaret Cameron donne à Watts le rôle d'un musicien inspiré par sa muse, représentée par une fillette aux cheveux noirs qui regarde intensément par-dessus son épaule. Archet en main, il tourne son regard vers l'autre enfant, dont la tête est audacieusement tronquée par le bord gauche du cadre. Cette étude est remarquable par le raffinement des éléments, adroitement disposés dans un espace très réduit. La forme en volutes du violon, les plis de la pèlerine et du gilet de Watts, sa barbe intriquée dans la crinière de cheveux flottante de la fillette créent une composition qui dégage une énergie tendue et concentrée. Julia Margaret Cameron reconnaissait que l'inspiration faisait partie intégrante de l'entreprise artistique, et l'inscription placée sur le cadre sous l'image – "un triomphe !" – indique à quel point elle pensait que cette photographie en avait saisi l'esprit.   JC

8   DR. HUGH WELCH
    DIAMOND
    Anglais, 1809–1886
    Femme assise avec oiseau,
    vers 1855

    Tirage à l'albumine
    19,1 x 13,8 cm
    84.XP.927.3

Hugh Welch Diamond se mit à la photographie en 1839, trois mois après que Talbot eut présenté son procédé de dessin photogénique (voir no. 1). Diamond s'était engagé dans une carrière de médecin, s'intéressant particulièrement à la psychiatrie et aux maladies mentales, avant de se lancer dans la photographie. Son talent fut reconnu par un autre photographe, Henry Peach Robinson, qui devait noter plus tard que le médecin était "incontestablement, la figure centrale de la photographie". En 1848, Diamond devint directeur résident de la section des femmes au Surrey County Lunatic Asylum (l'asile du comté de Surrey), poste qu'il occupa pendant dix ans. Durant cette période, il utilisa la photographie dans ses recherches sur la folie.

L'exploration physionomique était très populaire à la fin du XVIIIᵉ et au XIXᵉ siècles. En 1838, Alexander Morison présenta dans *The Physiognomy of Mental Diseases* la théorie selon laquelle il existait une corrélation entre l'apparence d'une personne et sa psychopathologie. Des années plus tard, en 1856, Diamond illustra cette théorie à l'aide de ses photographies dans un article intitulé "De l'application de la photographie à la physiognomonie et aux phénomènes mentaux de la folie". Ces photographies des femmes internées à l'asile du comté de Surrey fournirent à Diamond des matériaux pour étudier les expressions des visages de ses patientes et servirent aussi à l'administration de l'institution en permettant l'identification des malades.

Sur cette photographie, on est tout de suite captivé par le visage de la femme. Placée sur un fond neutre et vêtue de façon ordinaire, elle regarde au-delà de l'appareil. Son calme est démenti par l'angoisse qui transparaît dans ses yeux. On ressent une profonde émotion à la voir bercer un oiseau mort dans ses mains. L'oiseau est le symbole de la captivité et de la perte indubitablement éprouvée par cette femme qui, à cause de sa maladie mentale, est enfermée dans un asile. Pour des raisons inconnues, Diamond cessa de prendre des photographies de ses patients en 1858, après un incident qui provoqua son départ de l'asile du Surrey et la création de sa propre institution privée.

AL

9   ROBERT MACPHERSON
Anglais (actif en Italie),
1815–1872
La Campagna près de Rome,
années 1850

Tirage à l'albumine
22,1 x 38,8 cm
84.XO.1378.24

Robert MacPherson, un chirurgien écossais, s'installa à Rome en 1840 et se mit à étudier la peinture. Lorsqu'un de ses amis d'Édimbourg, un certain Dr. Clark, arriva à Rome, en 1851, avec un appareil photographique, MacPherson commença lui-même à faire des prises de vues tout en aidant Clark dans son apprentissage de la photographie. Ses études des édifices romains et les vues qu'il prit à l'extérieur de la ville au cours des vingt années qui suivirent figurent parmi les représentations architecturales les plus remarquables du XIXe siècle.

Ici, il a choisi de prendre comme sujet le rythme saccadé des vestiges en ruine de l'aqueduc de Claude qui traverse l'horizon en direction de la ville de Rome, dont les murs se trouvent six kilomètres et demi plus loin. L'aqueduc, conçu pour acheminer l'eau vers la ville, fut mis en chantier par l'empereur Caligula et terminé par Claude en l'an 49 de notre ère. Construit dans du mortier et revêtu de pierres, il s'étendait sur soixante-six kilomètres de long, dont quinze dépassant du sol – un sol souvent marécageux et infesté par la malaria. À l'époque de MacPherson, la rase campagne, appelée Campagna, s'étendait jusqu'aux murs de la ville et était considérée comme une incarnation romantique de la désolation.

La photographie de MacPherson surplombe une pente marécageuse qui mène à l'aqueduc ; elle témoigne d'un sens aigu de la façon dont il faut rassembler des éléments picturaux pour obtenir une composition puissante et élégante. Au premier plan à gauche, des clôtures délimitant les terrains attirent le regard vers le centre de l'image, où une rangée d'arbres et des clôtures plus solides, le long d'un coude de la Via Appia, le dirigent plus loin, jusqu'à un groupe de bâtiments de ferme rustiques inondés de soleil. L'atmosphère délétère est perceptible dans la brume qui voile les collines au loin.

L'emploi occasionnel par MacPherson de formats circulaires ou elliptiques pour mettre en valeur le sujet central se retrouve dans la forme de certaines peintures de paysage de l'époque. Il fut l'un des premiers photographes à prendre des vues destinées à attirer les voyageurs – dont certains, comme John Ruskin et Henry James, se rendirent le matin à cheval dans la campagne illustrée par cette photographie. Les touristes pouvaient acheter les photographies de MacPherson dans son magasin situé au cœur de Rome, près de la Piazza di Spagna. Son atelier fut ainsi le précurseur des vendeurs modernes de cartes postales romains, mais il ne fournissait pas de produits répondant à une formule préétablie.   GB

10 HIPPOLYTE BAYARD
Français, 1801–1887
Autoportrait dans le jardin,
1847

Tirage fixé au sel d'après un négatif
sur papier
16,5 x 12,3 cm
84.XO.968.166

À la suite des expériences qu'il commença le 20 janvier 1839, pendant ses moments de loisir (il occupait un poste à plein temps au sein du gouvernement français), Hippolyte Bayard réussit à créer des images sur papier ; la même année, d'autres découvertes sur les techniques photographiques furent annoncées par Daguerre en France et par Talbot en Angleterre (voir no. 1). Talbot, Daguerre et Bayard revendiquaient chacun l'invention de ces techniques, ce qui provoqua une certaine confusion quant à qui avait fait quoi et quand.

Bayard occupe une position clé dans l'histoire des débuts de la photographie grâce à la série de superbes autoportraits qu'il réalisa entre 1839 et 1863. Cette photographie de 1847 est l'un des deux autoportraits que possède le Getty Museum. Ici, Bayard se présente avec tout l'attirail du jardinier – plantes, arrosoir, pots en terre, tonneau, vase et treillis sur lequel pousse une petite vigne. Il a rassemblé et disposé ces objets dans le but de les photographier ; cinq ans plus tôt, il avait créé une nature morte qui n'existe plus que sous forme de négatif sur papier avec des outils de jardinage. Bayard révèle subtilement sa personnalité par la position de sa casquette, placée de manière désinvolte au-dessus de son sourcil droit, et par le pouce gauche qu'il a passé dans sa ceinture.

Ni Daguerre ni Talbot n'ont réalisé d'autoportraits et ils se sont même rarement laissé photographier par d'autres. En étant le premier à explorer diverses facettes de son caractère dans son œuvre, Bayard est entré dans l'histoire de la photographie. Ici, il ne s'est pas entouré des attributs du pouvoir politique ou de la richesse, mais d'objets quotidiens. Il semble nous dire, dans son langage visuel : "Je suis un jardinier autant qu'un artiste." Par cette confession visuelle, il a transformé pour toujours la photographie, montrant qu'on pouvait la pratiquer à la première personne.   WN

11 NADAR
    (Gaspard-Félix Tournachon)
    Français, 1820–1910
    Autoportrait, vers 1854–1855

    Tirage au sel
    20,5 x 17 cm
    84.XM.436.2

"Nadar" est un dérivé du surnom de l'artiste, "Tourne à dard" (jeu de mots sur son nom de famille, Tournachon). Nadar se mit à la photographie en 1854 et devint vite assez compétent pour créer un atelier dans sa maison de la rue Saint-Lazare à Paris ; il y photographiait ses amis et sa famille, en même temps qu'il poursuivait sa vocation de caricaturiste. La photographie et la caricature sont deux types de représentation on ne peut plus différents. La réussite d'une caricature repose sur l'exagération et la simplification, tandis que le portrait photographique est une représentation plus complexe et plus fidèle. Pour y parvenir, Nadar plaçait ses sujets devant une toile de fond neutre avec une lumière douce qui venait d'en haut et des côtés. Le terme qui décrit le mieux les portraits de Nadar est celui de "naturel" : ses sujets paraissent généralement avoir été saisis au moment où ils passaient la porte de son atelier. Ce style est à l'opposé de l'exagération mordante qui avait valu à Nadar son nom et ses premières heures de gloire.

Avec son épaisse tignasse de cheveux roux et son exceptionnelle indépendance d'esprit qui lui faisait rejeter la plupart des valeurs bourgeoises, Nadar était l'exemple même du bohème romantique. Il fréquentait les cafés et les ateliers rendus célèbres par le livre d'Henri Murger, *Scènes de la vie de Bohème* (Paris, 1851), qui raconte les amours, les études, les distractions et les souffrances d'un groupe d'étudiants, d'artistes et d'écrivains sans le sou dans un style littéraire proche du documentaire.

La première année de son activité de photographe, Nadar fit une série d'autoportraits, ainsi que des études de sa femme et de ses enfants, suivant en cela une tradition bien établie par les artistes qui prenaient leur famille et eux-mêmes comme modèles. La pose automatique n'ayant pas encore été inventée, ce portrait a peut-être été réalisé avec l'aide de son frère, Adrien Tournachon, ou de la nouvelle femme de Nadar, Ernestine. Nadar regarde directement le spectateur. Bien que ses yeux soient presque dans l'ombre, son regard possède une intensité saisissante, tout comme ses cheveux mal peignés qui atteignent presque ses épaules. Sa main droite, presque fermée comme un poing et placée contre sa joue et sa mâchoire, soutient sa tête. Les doigts de sa main gauche sont ouverts et les deux derniers donnent l'illusion d'être amputés à la première phalange. Nadar ne cherche pas à se flatter, mais plutôt à suggérer qu'il est un homme inconstant avec un côté obscur.   WN

12 GUSTAVE LE GRAY
   Français, 1820–1883
   Marine avec voilier et
   remorqueur, vers 1857

   Tirage à l'albumine
   30,2 x 41,3 cm
   86.XM.604

   Détail au verso

La fulgurante carrière photographique de Gustave Le Gray dura environ douze ans ; il apparut soudain à la fin des années 1840, atteignit une éblouissante renommée au milieu des années 1850 et quitta brusquement l'Europe à la fin de 1860. Au cours de cette brève période, il apporta une contribution durable à la photographie en inventant de nouvelles techniques, en écrivant un manuel qui fit autorité et en formant d'autres photographes célèbres. La gamme de ses sujets était très étendue : elle allait des études architecturales de constructions médiévales et de nouveaux édifices parisiens marquant leur époque à des paysages de la forêt de Fontainebleau, et des portraits à des documents sur la vie militaire des troupes de Napoléon III. La qualité et la variété extraordinaires de la lumière dans ses photographies provoquent encore l'admiration aujourd'hui.

Parmi ses œuvres les plus connues figure la remarquable série de marines qu'il commença vers 1855. Elles se caractérisent généralement par un effet d'immensité créé avec un nombre minimal d'éléments de composition, principalement l'eau et le ciel. La photographie que l'on voit ici illustre parfaitement l'ère de la navigation à voile qui cède le pas à l'ère de la vapeur, que le remorqueur soit en train de tirer le bateau à voile ou qu'il le laisse simplement derrière lui dans un sillage d'eau et de fumée. Pour saisir cette impression, il fallait un temps de pose très court et un seul négatif au lieu des deux que Le Gray utilisait parfois pour les marines – l'un pour le ciel, l'autre pour la mer. La juxtaposition des navires à petite échelle qui se découpent sur l'horizon et des grandes masses d'eau et d'air met l'accent sur la faiblesse des efforts de l'homme face aux éléments naturels. La stratification horizontale est une des composantes essentielles de ces marines.

Le Gray passa le reste de sa vie en Égypte à enseigner le dessin dans une académie des sciences sous le patronage direct du vice-roi. Il continua à faire des photographies de manière sporadique, mais apparemment peu de ces images tardives ont survécu.   GB

13 HENRI LE SECQ
Français, 1818–1882
Tour des rois à Reims, 1851

Tirage au sel
35,2 x 26 cm
84.XP.370.25

Ayant reçu une formation de peintre dans l'atelier de Paul Delaroche à Paris, Henri Le Secq se mit à la photographie au début des années 1850. À cette époque, les photographes français excellaient dans l'emploi du négatif sur papier. L'empereur Louis-Napoléon fut l'initiateur de projets qui devaient contribuer à susciter un sentiment de fierté dans le pays et à renforcer l'idée de la France en tant que nation. La Mission Héliographique, relevé photographique des bâtiments historiques de France hors de Paris, en faisait partie. Le Secq fut choisi par la Commission des Monuments Historiques pour être un des photographes de la mission. (Parmi les autres photographes participant à ce remarquable projet figuraient Gustave Le Gray, Edouard-Denis Baldus et O. Mestral.) La campagne française, avec ses monuments et ses ruines, fut promue au rang d'idéal, tandis que dans les villes, les rénovations urbaines laissaient place à la société moderne. La photographie de Le Secq reflète cette dichotomie de l'ancien et du moderne : le sujet est un monument ancien, mais il en donne une interprétation qu'on peut qualifier de moderne.

Le Secq montre un détail de la Tour des rois, sur la cathédrale Notre-Dame de Reims. Les rois de France furent couronnés dans la cathédrale, qui date du XIIIe siècle, jusqu'en 1830. Les statues de la galerie représentent toutes d'anciens rois de France. Par le choix d'un angle de vue élevé, juste en face de la tour, Le Secq attire non seulement l'attention du spectateur sur l'importance historique de la cathédrale, mais crée aussi une image saisissante. L'échafaudage en bois précaire visible sur la gauche voisine avec les blocs de pierre massifs et les sculptures délicates de la cathédrale. Cette composition audacieuse présente un fragment d'un ensemble plus important. En s'intéressant seulement à une partie de la cathédrale, Le Secq remplit toute l'image de détails architecturaux, ce qui écrase les volumes (il faut noter l'absence de premier plan et d'arrière-plan) et lui confère un aspect décoratif. Avec son premier plan flou et sa multitude de détails secondaires, l'œuvre n'est pas organisée selon les règles habituelles de la composition ; elle est au contraire construite de façon dynamique et remplie de lignes de force contradictoires dont l'aspect spectaculaire surprend et réjouit l'œil.   AL

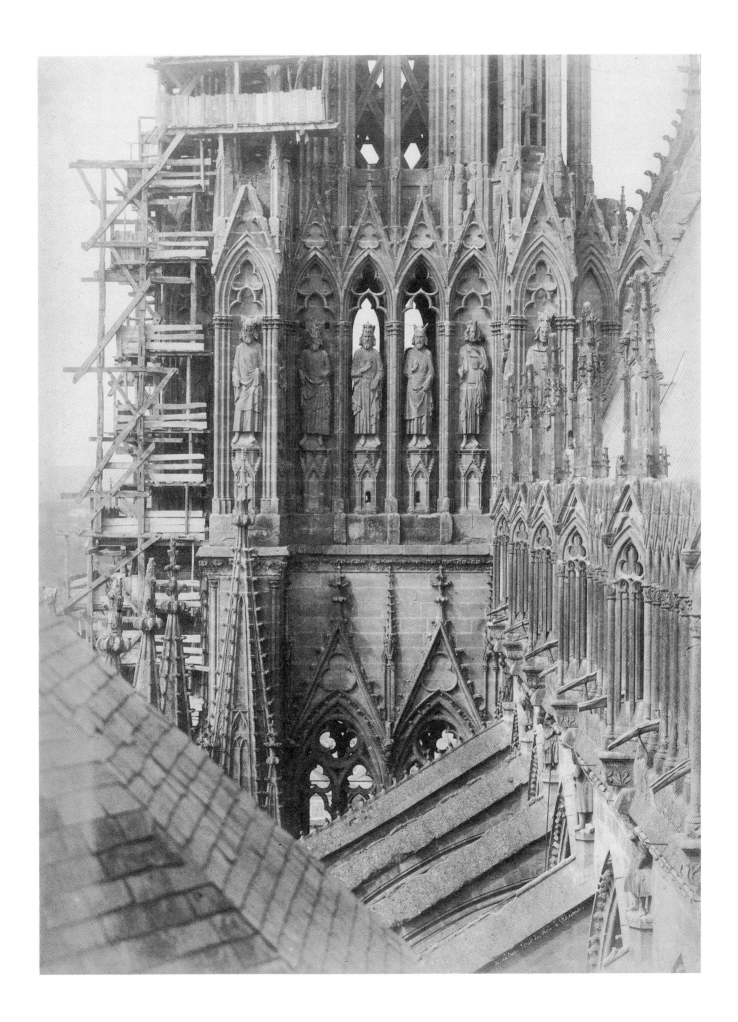

14 CHARLES MARVILLE
Français, 1816–1879
L'Impasse de l'essai au Marché aux chevaux, Paris, négatif des années 1860 ; tirage postérieur à 1871

Tirage à l'albumine
26,2 x 37,1 cm
84.XM.346.14

Charles Marville, l'un des plus grands photographes de scènes documentaires du Paris du Second Empire (1852–1870), développa ses grandes facultés d'observation et de composition pendant les vingt années où il travailla comme dessinateur d'illustrations gravées sur bois pour des livres et des magazines populaires. Il se mit à la photographie au début des années 1850 et travailla alors comme photographe itinérant pour l'entreprise florissante de Blanquart-Evrard. Marville comprit à l'évidence que les photographies d'architecture et de paysage dépendaient par dessus tout de l'utilisation judicieuse de la lumière et de l'espace. De plus, l'aisance extraordinaire avec laquelle il utilisait les techniques photographiques de son époque – d'abord le calotype et plus tard le collodion humide – lui permit d'obtenir régulièrement d'excellents résultats.

Lorsque le baron Haussmann devint préfet de la Seine en 1853, l'une de ses premières actions fut de demander à une équipe de photographes – Baldus, Le Secq et Marville notamment – de photographier la ville avant le remaniement massif de ses rues et de ses espaces publics. Marville travailla méticuleusement selon le plan du préfet ; il photographia des rues et des lieux qui devaient bientôt être rasés pour laisser la place aux nouveaux boulevards en projet. L'un des secteurs devant être démolis était le Marché aux chevaux et ses abords, une place marchande importante à une époque où les chevaux et les mules étaient le principal moyen de transport.

Cette étude d'une impasse située derrière le Marché aux chevaux montre les obstacles et les irrégularités des vieilles rues de Paris qu'Haussmann voulait remplacer par des boulevards clairs et aérés. La position relativement basse et axiale de l'appareil de Marville accentue la diversité des structures et des lignes de vue qui composent la scène. Les arbres sur la gauche, dépouillés de leurs feuilles, paraissent suspendus en porte-à-faux au premier plan, montant la garde en même temps qu'ils dirigent l'œil dans les recoins de ce quartier vétuste et misérable. Marville fait preuve d'une sensibilité remarquable aux différentes textures qu'il a devant son objectif, qu'il s'agisse des pavés usés par les intempéries, de la ruelle en terre ravinée par la pluie ou des façades qui s'effritent. La précision descriptive de l'image s'associe à l'orchestration adroite de l'alternance des zones d'ombre et de lumière, au travers de laquelle Marville se révèle un maître de la forme picturale. JC

15 CAMILLE SILVY
Français, 1834–1910
Paysage sur la rivière – La Vallée de l'Huisne, négatif de 1858 ; tirage des années 1860

Tirage à l'albumine
25,7 x 35,6 cm
90.XM.63

Avant de se consacrer à la photographie, Camille Silvy étudia le droit et devint diplomate ; la photographie fut donc d'abord pour lui un passe-temps. En 1857, il fit un voyage en Algérie avec son professeur de dessin et, déçu par ses réalisations personnelles, demanda à son ami le comte Olympe Aguado de lui apprendre la photographie. Silvy se passionna alors tellement pour cet art qu'il devint membre de la Société Française de Photographie. L'un de ses premiers sujets fut la campagne autour du village où il était né, Nogent-le-Rotrou, au bord de l'Huisne. Seules quelques-unes de ses études de paysage ont survécu ; toutefois, aucune ne possède l'ampleur et les détails du *Paysage sur la rivière* reproduit ici. Il n'en existe que quatre tirages, chacun différent à de nombreux égards, notamment par le ciel et la texture de la surface. (Les quatre tirages ont été montrés en même temps pour la première fois en 1993, lors d'une exposition organisée par le Getty Museum à Malibu.) "La beauté naturelle de la scène en elle-même, riche de détails subtils et variés, avec ses grandes ombres douces qui s'étendent sur l'ensemble, forme une image qui n'a pas d'égale par son calme et son attirante beauté", écrivait un critique en 1859.

Étudiant très précoce, Silvy créa ce chef-d'œuvre relativement tôt dans sa carrière de photographe. Il envoya un tirage à l'exposition de 1858 de la Royal Photographic Society à Londres, où son immense talent fut immédiatement reconnu. Cette image, selon un commentateur, était "peut-être le bijou de toute l'exposition". Un autre écrivit : "Il est impossible de composer avec plus de sens artistique et de goût que l'a fait M. Silvy…On ne sait pas s'il faut admirer davantage le sentiment profond qui émane de la composition ou la perfection des détails."

Cette photographie a été prise du Pont de Bois, un pont situé sur la Huisne, à quelques minutes de marche de la maison natale de Silvy. La rivière apportait de l'eau aux moulins qui faisaient vivre la petite communauté et donnaient une liberté économique aux propriétaires terriens, dont faisait partie la famille de Silvy. Sa fortune lui permit d'exercer une profession aussi peu rémunératrice que la photographie.

Cependant, Silvy surprit sa famille en émigrant, en 1859, à Londres où il créa un atelier de portrait et devint l'un des portraitistes les plus recherchés de la haute société. Il se spécialisa dans les portraits miniatures, à la composition minutieuse, destinés à illustrer les cartes de visite, et réalisés avec un souci de perfection visible dans le talent avec lequel il faisait poser et éclairait ses modèles, ainsi que dans la composition du décor.

WN

16 PHOTOGRAPHE INCONNU
Américain, actif au milieu
du XIXe siècle
Portrait d'Edgar Allan Poe,
fin mai ou début juin 1849

Daguerréotype demi-plaque
12,2 x 8,9 cm
84.XT.957

Figure tragique de l'histoire littéraire américaine, Edgar Allan Poe (1809–1849) était doté d'une grande intelligence et d'une âme mélancolique. Poète, écrivain, éditeur et critique, il est surtout célèbre pour ses histoires macabres et mystérieuses. Dans ce portrait, Poe semble regarder le monde dans un état de quasi-stupeur. L'œil de verre de l'objectif a saisi avec une grande précision les boucles de cheveux surmontant son front haut et ridé, ainsi que le minuscule détail de la petite cicatrice visible à côté de son œil gauche ; il a aussi rendu avec beaucoup de sincérité les signes extérieurs de sa maladie. Le visage bouffi, les poches sous les yeux, la bouche tombante de l'écrivain laissent présager sa mort prématurée – il mourut environ quatre mois plus tard. La photographie est comme un masque mortuaire : le visage et le regard lointain sont ceux d'un homme qui paraît avoir vu la mort sous de nombreuses incarnations.

Annie Richmond, amie de Poe avec laquelle il eut peut-être une liaison après la mort de sa femme, organisa la séance de pose et l'on pense qu'elle paya au moins deux portraits. La photographie qui subsiste encore aujourd'hui est donc connue par les spécialistes de Poe sous le nom de "daguerréotype d'Annie". Son apparence fit dire à Poe : "Ma vie semble gâchée – l'avenir m'apparaît comme un vide morne."

Il existe encore au moins huit portraits connus du poète sur daguerréotype. Poe considérait l'invention de Daguerre comme quasi miraculeuse. En janvier 1840, il écrivit : "L'instrument en soi doit indubitablement être considéré comme le triomphe le plus important et peut-être le plus extraordinaire de la science moderne […]. Les mots manquent pour donner une idée exacte de la vérité […]. Car, en réalité, la plaque de daguerréotype est infiniment […] plus exacte dans la représentation que toute peinture exécutée par la main de l'homme."

La liste des photographes pouvant être l'auteur de ce portrait de Poe comporte plus d'une douzaine de noms. Toutefois, il est probable qu'il ait été réalisé par George C. Gilchrist, le daguerréotypiste le plus en vue de Lowell, dans le Massachusetts. Gilchrist exerça son art de 1847 à 1860 au moins et fit le portrait de nombreuses personnalités.

MH

17 JOHN PLUMBE, JR.
Américain (né au Pays de Galles),
1809–1857
Le Capitole des États-Unis, 1846

Daguerréotype demi-plaque
17 x 21 cm
96.XT.62

John Plumbe, Jr., Gallois de naissance, arriva aux États-Unis à l'âge de douze ans. Ingénieur des travaux publics, il fut à l'avant-garde du développement du chemin de fer dans l'Ouest et beaucoup lui attribuent l'idée d'un chemin de fer transcontinental. Plus tard, lorsque le travail et l'argent se firent rares, la fascination de Plumbe pour l'architecture et le nouvel art du daguerréotype l'incita à aborder un nouveau métier. Il entra en contact avec ce mode d'expression en 1840 après avoir vu les images expérimentales de photographes itinérants qui exposaient leurs daguerréotypes au public. Il réussit si bien dans ce domaine qu'il posséda rapidement des ateliers de photographie dans treize villes, dont un à Washington.

Ce daguerréotype présente une vue oblique de la façade est du Capitole des États-Unis. En 1846, le Capitole, édifice relativement simple, était déjà passé entre les mains de quatre architectes successifs : William Thornton, Benjamin Henry Latrobe, Charles Bulfinch et Robert Mills. Il avait fallu trente-quatre ans pour construire le bâtiment d'origine, commencé en 1791. Les ailes qui, à l'époque de Plumbe, abritaient à la fois le Sénat et le Parlement, relient aujourd'hui les chambres à la rotonde centrale. Cette image est l'un des trois daguerréotypes que fit Plumbe de l'édifice en même temps qu'il photographiait les principaux bâtiments du gouvernement dans la capitale du pays, notamment la résidence du président (aujourd'hui appelée Maison-Blanche), le Bureau des brevets et la Poste centrale. La maison du président apparaît vaguement tout à fait en haut à gauche du daguerréotype. Ainsi, en une seule prise de vue, Plumbe a réussi à représenter l'organisation sous-jacente et le contenu symbolique de Washington, avec le Capitole au centre de la ville et la Maison-Blanche à l'autre bout de Pennsylvania Avenue.

Lorsqu'il fut acculé à la faillite par sa chaîne d'ateliers de photographie, Plumbe se retira à Dubuque, dans l'Iowa. Une tentative infructueuse pour récupérer sa fortune dans la ruée vers l'or californienne le conduisit finalement au suicide en 1857. MH

18 ALBERT SANDS
    SOUTHWORTH
    Américain, 1811–1894

JOSIAH JOHNSON HAWES
    Américain, 1808–1901
    Une des premières opérations
    utilisant l'éther comme
    anesthésique, 1847

Daguerréotype plaque entière
14,6 x 19,9 cm
84.XT.958

Albert Southworth et Josiah Hawes abordèrent la photographie séparément après avoir assisté à des conférences et à des démonstrations organisées au printemps 1840 par Jean-François Gouraud, à qui Daguerre en personne avait appris le procédé. Southworth créa un atelier de portrait reconnu à Boston, en association avec Joseph Pennell, auquel succéda Hawes en 1843. L'atelier de Southworth et Hawes, situé sur Tremont Row, devint célèbre pour ses daguerréotypes de Bostoniens occupant une position importante et de politiciens de passage dans la ville ou de célébrités du théâtre.

Les deux associés, qui expérimentaient continuellement de nouvelles méthodes, faisaient payer très cher leurs clients : Mathew Brady à New York, qui fut peut-être le portraitiste le plus en vue de l'époque, demandait deux dollars pour un daguerréotype d'un sixième de plaque, tandis que chez Southworth et Hawes, le même format coûtait cinq dollars. Les travaux autres que les portraits – vues urbaines, paysages, événements publics, grands rassemblements de personnes – prenaient beaucoup de temps à réaliser et n'étaient pas lucratifs.

Bien avant que l'appareil photographique puisse servir à rendre compte d'événements historiques, Southworth et Hawes abordèrent ce domaine en 1847 avec *Une des premières opérations utilisant l'éther comme anesthésique*. La première démonstration publique présentant l'emploi de l'éther pour anesthésier des patients pendant une opération eut lieu en octobre 1846 dans l'amphithéâtre du Massachusetts General Hospital, mais aucun photographe n'était présent lors de ce moment historique. Dans les semaines et les mois qui suivirent, il y eut d'autres démonstrations publiques d'interventions chirurgicales à l'éther, notamment celle reproduite ici, où l'on voit le Dr. Solomon Davis Townsend prêt à opérer. On est saisi par le réalisme de cette photographie : les instruments chirurgicaux rangés dans des vitrines en verre au fond de la pièce, l'équipement chirurgical sur la table, les redingotes des médecins, les chaussettes encore aux pieds du patient sont autant de détails éloquents.   WN

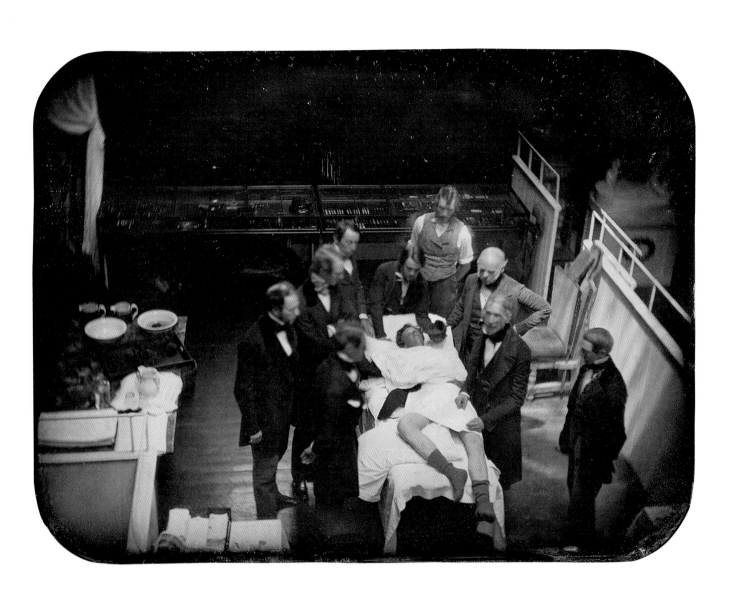

19 JOHN BEASLEY GREENE
Américain (actif en Égypte et
en Algérie), 1832–1856
Le Temple de Louxor,
1853 ou 1854

Tirage au sel
23,4 x 29,2 cm
84.XM.361.2

J. B. Greene, fils d'un banquier américain travaillant à Paris, consacra la fin de sa courte vie à la photographie. Il prit certaines des photographies les plus anciennes et les plus poétiques d'Égypte, où il se rendit probablement pour des raisons de santé. Comme tous les touristes de l'époque, et comme beaucoup de voyageurs aujourd'hui encore, il se déplaçait d'un endroit à l'autre sur la voie principale d'Égypte, le Nil.

Cette vue longitudinale du grand temple de Louxor a été prise de l'ouest, de la rive où s'élève l'édifice dont l'axe principal est parallèle au Nil. Les fibres du négatif sur papier employé par Greene pour ce tirage, visibles en transparence, rehaussent la texture douce du sujet du premier plan, la plaine alluviale inondée tous les ans, et contribuent à donner cette impression de chaleur miroitante qui paraît émaner de la photographie. Le bateau sur lequel Greene était arrivé, et qui lui servait aussi de chambre noire, devait se trouver juste derrière l'appareil, bien que le bord du fleuve ne soit pas visible. Il s'agit donc peut-être de la première vision que Greene ait eu de Louxor ; il dut se rendre compte de la beauté subtile de la scène et de la façon dont elle serait traduite par les gris tirant sur le violet du tirage définitif.

Les colonnes massives de la grande galerie destinée aux processions, au centre de l'image, avaient été conçues à l'origine par Aménophis III (qui régna de 1386 à 1349 av. J.-C.) pour former une salle hypostyle qui ne fut jamais achevée. À droite, le temple se prolonge par une cour aux proportions moins grandioses, construite par le même pharaon de la XVIIIᵉ dynastie et au-delà, tout à fait à droite, apparaît une partie plus ancienne de l'édifice qui renferme le sanctuaire et délimite la fin du site. À gauche du temple se trouve une autre cour à colonnade et un ensemble de pylônes massifs (qui n'apparaissent pas distinctement sur la photographie de Greene). Le palmier isolé, dont les feuilles ont été agitées par la brise pendant la longue exposition, semble fragile en comparaison de l'architecture massive et statique qui se dresse derrière lui. Il n'y a pas trace d'autre vie. La photographie austère de Greene souligne l'isolement de l'architecture monumentale entre le fleuve et le désert, délimitée en haut et en bas par le ciel et par le sable.

GB

20 WILLIAM H. BELL
Américain (né en Angleterre),
1830–1910
*Rocher en équilibre, Rocker
Creek, Arizona, 1872*
Tiré de l'album *Geographical
and Geological Explorations
and Surveys West of the 100th
Meridian, 1871–1873*
(Explorations et relevés
géographiques et géologiques
à l'ouest du 100ème méridien)

Tirage à l'albumine
27,5 x 20,3 cm
84.XO.1371.303

Cette photographie fut prise en 1872, lors d'une expédition organisée par le gouvernement des États-Unis dans le but d'établir des relevés de la région située à l'ouest du 100ème méridien et commandée par le lieutenant George M. Wheeler. Le travail de Bell, photographe de l'expédition, servit à illustrer le rapport final sur les découvertes de l'équipe et fut également mis en vente auprès du public sous forme de stéréographies. Bell nous confronte avec la masse et la densité étonnante de cette formation rocheuse en la plaçant au centre de la composition et en lui faisant remplir la presque totalité de la photographie. La légende de la version stéréographique de cette image (qui appartient aussi à la collection du Getty Museum) indique que son objectif principal était de souligner les effets de l'érosion à la base du rocher. Toutefois, en l'isolant complètement de cette façon, Bell révèle son admiration pour cette forme émouvante, immense et immobile, taillée par les seules forces de la nature qui la feront sans doute un jour basculer. Le gros plan permet aussi d'examiner en détail la surface du rocher et de tenter de découvrir son essence au vu de son aspect physique, comme on pourrait le faire avec un portrait.

Bell dirige notre attention sur la surface grêlée de cette roche de grès avec tellement de succès que l'on remarque à peine l'homme assis dans l'ombre. Des personnages figuraient souvent dans les photographies des merveilles naturelles au XIXᵉ siècle, afin de donner une idée de l'échelle ; toutefois, ici, le personnage ne remplit pas vraiment sa fonction et se détourne du rocher pour examiner le sol avec une loupe. Il est difficile de croire que cette juxtaposition est fortuite. Il en résulte une situation assez drôle, dans laquelle on voit un homme tellement absorbé par son travail qu'il semble ne pas remarquer le bloc qui se dresse de manière imposante au-dessus de lui.

Bien que né à Liverpool, Bell grandit à Philadelphie où il créa en 1848 un atelier de photographie et devint un collaborateur assidu de la revue *Philadelphia Photographer*, dans laquelle il exposait ses idées sur les progrès techniques et les résultats de ses essais sur le terrain d'équipement et de matériel lors de ses voyages. Bell, soldat de l'Union pendant la guerre de Sécession, se battit à Antietam et à Gettysburg. En 1865, il fut nommé photographe en chef de l'Army Medical Museum à Washington. Ses nombreuses photographies de soldats blessés pendant la guerre de Sécession permirent aux médecins de suivre l'évolution des cas et d'illustrer des articles sur les amputations réussies.

KW

21 ALEXANDER GARDNER
Américain (né en Écosse),
1821–1882
*Lincoln sur le champ de bataille
d'Antietam, Maryland,*
3 octobre 1862

Tirage à l'albumine
22 x 19,6 cm
84.XM.482.1

Après avoir quitté l'Écosse pour les États-Unis au printemps 1856, Alexander Gardner, photographe déjà expérimenté, fut rapidement engagé par le portraitiste Mathew Brady pour travailler dans son atelier. Cinq ans plus tard, lorsque la guerre de Sécession éclata et que le bruit des canons se fit entendre jusque sur les marches du Capitole, Gardner donna, dit-on, à Brady l'idée de rassembler une équipe de photographes pour saisir – du mieux qu'ils pouvaient, vu l'équipement photographique lent et peu maniable dont ils disposaient – des images de la guerre. Gardner prit lui-même sur le terrain des centaines de photographies en 1862 et 1863. Ses images du champ de bataille d'Antietam, dans le Maryland, jonché de cadavres firent sensation lorsqu'elles furent exposées à la galerie de Brady à New York en novembre 1862 ; on n'avait encore jamais rien vu d'aussi graphique et d'aussi brutal dans la photographie américaine.

L'héritage le plus durable de Gardner réside dans les trente-sept portraits d'Abraham Lincoln qui ont subsisté, où le président apparaît soit seul, soit avec sa famille, des a mis ou des collaborateurs. Gardner connaissait suffisamment bien Lincoln pour se voir attribuer un atelier temporaire à la Maison-Blanche, en 1861 et en 1862. Le 3 octobre 1862, deux semaines après la victoire du général de l'Union George B. McClellan à Antietam sur le général Sudiste Robert E. Lee, Lincoln se rendit sur le champ de bataille et s'entretint avec une partie de son état-major, notamment avec McClellan, le commandant général John McClernand et Alan Pinkerton, le chef des services secrets. Pinkerton avait engagé Gardner sur un projet spécial, secret, qui consistait à dupliquer les cartes dessinées à la main utilisées pour établir les plans de campagne. Le véritable but de la visite de Lincoln fut toutefois révélé dans un télégramme à sa femme, dans lequel il disait qu'il allait à Antietam "pour être photographié demain matin par M. Gardner si nous parvenons à rester immobiles assez longtemps".

Cinq poses différentes de cette séance de photographie à Antietam ont subsisté, dont celle reproduite ici. Il ne s'agit pas d'un portrait ordinaire et il n'a pu être réalisé que par quelqu'un qui connaissait très bien les sujets. Lincoln n'a pas réussi à rester parfaitement immobile, comme il l'avait prédit, et sa tête est donc un peu floue. Le génie de cette photographie réside dans la composition adroite de Gardner, qui s'articule autour des détails de la vie dans le campement. La tente et ses cordes dominent. L'œil est attiré autant par les attaches des cordes que par les visages des protagonistes. Mais malgré les interruptions dans la composition, la figure imposante de Lincoln demeure le centre d'attraction.

WN

22 GEORGE N. BARNARD
Américain, 1819–1902
Nashville vue du Capitole,
négatif de 1864 ; tirage de 1865

Tirage à l'albumine
25,6 x 35,9 cm
84.XM.468.3

Détail au verso

La guerre de Sécession fournit de nouveaux sujets à beaucoup de photographes. George N. Barnard qui, avant la guerre, était portraitiste dans l'État de New York, fut employé quelque temps par Mathew Brady et collabora occasionnellement avec James Gibson pour photographier les fortifications autour de Washington et les champs de bataille de Virginie. En 1863, il devint l'un des photographes officiels de l'armée de l'Union et travailla sur le théâtre occidental des opérations, dans les États qui bordent le Mississippi.

Cette vue saisissante de la capitale du Tennessee, prise des marches du Capitole, dont la construction venait juste d'être achevée, est l'une des premières d'une longue série d'images réalisées par Barnard dans le sillage de la brutale campagne menée par le général William Tecumseh Sherman en 1864–1865 ; elle commença dans le Tennessee, descendit en Géorgie jusqu'à Savannah et la mer puis remonta vers le nord à travers la Caroline-du-Sud et la Caroline-du-Nord. Après la guerre, Barnard publia une sélection de ses photographies dans l'ouvrage *Photographic Views of Sherman's Campaign,* un élégant volume comportant soixante et un tirages à l'albumine (et d'où est tirée cette photographie). Barnard prit trois vues de ce site. Celle que l'on voit ici montre des soldats de l'Union sous le portique de l'édifice et une rangée de canons pointés vers une palissade défensive en bois et un remblai de terre qui délimite la ville ; il s'agissait de mettre en scène la domination de Sherman et de son armée sur la ville auparavant rebelle. Le photographe a obtenu cette image qui surplombe le site en plaçant son appareil sur une partie de la balustrade de l'édifice, de sorte que la colonnade et son soubassement apparaissent comme un élément vertical qui définit tout l'espace pictural. Les canons sont présentés comme des sentinelles silencieuses, des pacificateurs modernes. Nettement masculins par leur forme, leur matière et leur usage, ils contrastent avec la féminité des statues élégantes et décoratives visibles sur le socle des lanternes. Au premier plan, on aperçoit la forme fantomatique d'un garde qui est sorti du cadre au cours de l'exposition prolongée. Au loin, à peine visibles sur le bord de la rivière Cumberland, les nombreuses tentes de l'Union témoignent de l'énorme rassemblement d'hommes et de matériel organisé en préparation du lancement du grand assaut de Sherman. Au moment de la publication de cette photographie en 1866, Barnard ajouta le ciel spectaculaire qui provient d'un second négatif. Après la guerre, il s'installa quelque temps à Charleston, l'une des villes sudistes dont il avait photographié la destruction avec beaucoup de talent. Il poursuivit ensuite sa carrière de portraitiste à Chicago, Rochester, New York et Painesville, dans l'Ohio.   GB

23 CARLETON WATKINS
Américain, 1829–1916
Cascade de Multnomah, fleuve Columbia, Oregon, N° 422, 2500 pieds, 1867

Tirage à l'albumine
52,4 x 39,9 cm
85.XM.11.28

Arrivant de New York en Californie au début des années 1850, Carleton Watkins commença sa carrière de photographe un peu par hasard, en remplaçant temporairement un employé absent dans l'atelier de daguerréotypes de Robert Vance à Marysville. Dix ans plus tard, Watkins possédait son propre atelier de portraits à San Francisco. À la suite de difficultés financières en 1875, il dut céder tout son matériel photographique à un concurrent, Isaiah Taber. Sans se laisser décourager, Watkins entreprit de reconstituer son stock et continua de produire une quantité importante de photographies, voyageant du nord au sud de la côte Pacifique, du Canada au Mexique.

Les photographies de Watkins, qui illustrent la relation entre l'homme et la nature, ont influencé notre interprétation du paysage. Désireux de promouvoir la beauté de son pays, le photographe présente souvent l'Ouest comme un paradis édénique, dont la beauté naturelle inspire le respect. En 1867, chargé d'une mission par l'Oregon Steam Navigation Company, Watkins voyagea à travers l'Oregon, où il réalisa au moins cinquante-neuf négatifs géants (dont l'un servit à ce tirage) et plus de cent stéréographies.

Sur cette photographie de la cascade de Multnomah, Watkins met en valeur la beauté sublime du site naturel. Cette image où l'on ne voit ni ciel ni premier plan est entièrement remplie par la cascade et la végétation qui l'entoure. La grande taille du tirage accentue l'aspect monumental de la scène. L'image est dynamique, non seulement de par sa grande échelle, mais aussi par son absence apparente de progression horizontale du premier plan vers l'arrière-plan. En privant le spectateur de tout recul, Watkins suspend étrangement l'image entre ciel et terre. Dans ce format vertical, la cascade constitue l'élément clé qui donne sa cohérence à la photographie. La cascade de Multnomah traverse l'image de haut en bas ; elle est présentée comme une grande force naturelle qui provoque une impression de respect, de peur – et même de sensualité. Par le choix de son angle de vue et l'absence de présence humaine, Watkins représente la nature comme un phénomène pur et intact.   AL

24 HENRY HAMILTON
BENNETT
Américain (né au Canada),
1843–1908
*Le Photographe avec sa famille :
Ashley, Harriet et Nellie*, 1888

Tirage à l'albumine
44,4 x 54 cm
84.XP.772.8

Détail au verso

En 1865, au retour de la guerre de Sécession (où il perdit l'usage de sa main droite), Henry Hamilton Bennett acheta un atelier de photographie dans la ville où il avait grandi, Kilbourne dans le Wisconsin, avec son frère George. L'avènement du chemin de fer amena dans la région des touristes désireux de savourer la beauté du paysage de la rivière Wisconsin, affluent du haut Mississippi. La rivière Wisconsin serpente au milieu des gorges pittoresques qu'elle a taillées dans les falaises tendres de son lit, dans une région appelée "the Dells" par les riverains. Les deux frères se partagèrent le travail à l'atelier, le divisant en deux composants logiques – le paysage et le portrait – et travaillèrent ensemble de cette manière pendant plusieurs années, jusqu'à ce que George quitte l'affaire et parte pour le Vermont.

Au début des années 1870, Henry Bennett s'enthousiasma pour la nature et se consacra dès lors principalement à la photographie de paysage. Il nota dans son journal de 1866 : "Suis allé aux Dells ; l'eau n'a pas été aussi haute depuis de nombreuses années. C'est terrible, épouvantable, sublime, majestueux et grandiose." Pendant les vingt années suivantes, Bennett consacra presque toute son énergie à interpréter les paysages qu'il voyait près de chez lui. Les Dells du Wisconsin devinrent un aimant pour les visiteurs attirés dans la région par les photographies et les guides qu'il publiait.

Il introduisait souvent sa famille et ses amis dans ses photographies, les faisant poser sur un canot à vapeur ou sur la rive. Son travail sur les paysages prenait ainsi l'apparence d'un album de famille. Le sens du portrait de Bennett était manifestement influencé par son expérience du paysage. Dans cet autoportrait où on le voit au milieu de son fils Ashley et ses filles Harriet et Nellie, les personnages sont séparés par un espace qui évoque l'agencement d'un paysage. Cette photographie a peut-être été prise pour rendre compte du deuil de la famille après la mort, en 1884, de la femme de Bennett, Frances. La grande pièce est ornée d'œuvres d'art qui suggèrent une certaine prospérité. Toutefois, l'attention est captée par la mise en scène, qui paraît assez peu naturelle. Au-dessus de la tête de Bennett est suspendu un paysage, œuvre d'un peintre non identifié ; à l'extrême droite, Nellie tient un album de photographies sur ses genoux, et l'on aperçoit derrière elle une sculpture de la guerre de Sécession sur un piédestal ; à gauche d'Ashley, une peinture à l'huile posée sur un chevalet a été coupée en deux par l'appareil. Seule Harriet a les yeux fixés directement sur l'objectif ; les trois autres regardent au loin, à gauche de l'appareil. Peut-être regardent-ils le portrait de Frances, l'épouse et la mère disparue ?

WN

25 FREDERICK H. EVANS
Anglais, 1853–1943
Vue de l'extrémité ouest de la nef,
cathédrale de Wells, vers 1900

Tirage au platine
15 x 10,5 cm
84.XM.444.38

Après avoir commencé sa carrière comme employé de banque, Frederick H. Evans devint propriétaire d'une librairie dans les années 1880 et fit alors la connaissance de plusieurs membres de la communauté artistique londonienne. À peu près à l'époque où il changeait de profession, il commença à s'adonner à l'activité qui allait devenir son troisième métier. Il photographia d'abord au microscope des coquillages et des insectes, qu'il montait ensuite sur des supports de verre. Cette occupation, ainsi que son admiration pour les motifs de William Morris et les dessins d'Aubrey Beardsley, firent naître chez lui le désir de réaliser ses propres tirages photographiques. Ses sujets les plus courants, les paysages et l'architecture, se retrouvent dans l'imitation des formes naturelles et l'artifice extrême de cette vue étroite d'un édifice médiéval monumental, la cathédrale de Wells. L'image réduit miraculeusement à échelle humaine l'intérieur à la haute voûte nervurée, tout en respectant ses délicats détails gothiques. La lumière douce et égale – qu'il attendit sans doute des heures, sinon des jours – donne aux multiples colonnettes des piliers massifs de la nef un aspect éthéré que l'on retrouve plus haut dans l'arcade du triforium. Evans faisait preuve d'une maîtrise inégalée du procédé du tirage au platine, ce qui lui permit de donner des accents subtils à l'épreuve dans la partie d'ombre presque noire du passage à claire-voie, dans le bord supérieur de la composition, et dans l'éclat blanc cassé qui provient de l'entrée principale, en bas à droite.

Comme les écrivains de son époque Victor Hugo et J. K. Huysmans, qui firent tous deux de la cathédrale le thème principal d'un de leurs livres, Evans, lui-même cultivé, était fasciné par l'art et l'architecture du Moyen Âge. Il visita un grand nombre des plus beaux vestiges de cette période, comme les cathédrales de Lincoln, de Reims, de Durham, de Bourges, d'Ely et de Wells, muni d'un appareil de prise de vue et de négatifs en verre. La cathédrale de Wells, construite en deux fois entre 1185 et 1350, dans le calcaire de la région, projette toujours son ombre sur la petite ville ancienne dans laquelle elle fut érigée. Elle a subi des restaurations plus tardives, mais la nef est restée intacte. Sa galerie, lorsqu'on la contemple dans toute sa longueur, fait preuve d'une horizontalité terre à terre au sol qu'Evans brise afin de mettre en valeur la verticalité de ses éléments pris séparément. Les lignes à l'incision franche se rapprochent davantage d'un dessin que d'un monument en pierre. Artisan du sacré à sa manière, Evans a puisé sa vision lumineuse dans la foi et l'adresse des ouvriers anonymes qui ont créé cette église grandiose.

JK

Across west end of nave

26 GERTRUDE KÄSEBIER
Américaine, 1852–1934
Silhouette de femme, vers 1900

Tirage au platine
20 x 10 cm
87.XM.59.28

Une éducation d'avant-garde associée à un sens prononcé de l'indépendance et à une esthétique pictorialiste permirent à Gertrude Käsebier de rencontrer une formidable réussite artistique et professionnelle en tant que portraitiste. Elle grandit dans le Colorado et, à l'adolescence, déménagea à New York, à Brooklyn, où elle se maria et fonda une famille. À la fin des années 1880, Gertrude Käsebier entreprit des études artistiques au Pratt Institute de Brooklyn. Elle explora d'abord les disciplines traditionnelles que sont la peinture et le dessin, mais découvrit rapidement la photographie et, malgré les objections de sa famille, entra en apprentissage dans un atelier commercial de portraits. Elle ouvrit ensuite son propre atelier. Elle travaillait sans le mobilier et les supports victoriens appréciés par les photographes de son époque et développa un nouveau style de mise au point floue et d'éclairage artistique. Gertrude Käsebier devint membre du New York Camera Club et du Linked Ring (dont le siège était à Londres). Elle fut aussi la confidente d'Alfred Stieglitz et d'Edward Steichen, qui avaient créé ensemble la Photo-Secession, association informelle de photographes fondée dans le but d'assurer la place de la photographie parmi les beaux-arts.

Cette photographie, probablement prise à l'occasion du mariage de sa fille, évoque une Madone du XVe siècle de par la pose de profil, les mains jointes en prière et le voile translucide du sujet. Gertrude Käsebier a mis en valeur dans son œuvre le rôle des femmes et la maternité ; dans cette image, elle évoque la pureté virginale (l'autre titre de cette photographie est *Une jeune fille en prière*) et a assimilé le mariage à un sentiment élevé de spiritualité. Cette idée devient encore plus poignante quand on sait à quel point le mariage de Käsebier était lui-même perturbé. Cette image, qui n'est pas un véritable portrait, module les valeurs de l'ombre et de la lumière de manière presque sculpturale ; la silhouette est adoucie par la mise au point sur le cadre de la porte et la vue sur l'extérieur à l'arrière-plan. La sensibilité pictorialiste évidente dans l'œuvre de Gertrude Käsebier conduisit Alfred Stieglitz à la qualifier, en 1898, de "portraitiste de premier plan du pays".   JM

27 ANNE BRIGMAN
Américaine, 1869–1950
Le Cœur de l'orage, vers 1910

Tirage au platine
24,6 x 19,7 cm
94.XM.111
Don de Jane et Michael Wilson

Anne Brigman apprit toute seule la photographie vers 1901 et, dès l'année suivante, elle exposa son travail au Salon de la photographie de San Francisco. Peu après, elle entama une correspondance avec Alfred Stieglitz à New York (voir no. 30) et fut un des premiers membres de son groupe Photo-Secession. Stieglitz devint un défenseur et un collectionneur des travaux d'Anne Brigman ; il publia également ses photographies dans sa superbe revue *Camera Work*. Les images d'Anne Brigman sont de style pictorialiste, caractérisé par une mise au point floue et une approche pittoresque du sujet. Pour elle, la photographie était une combinaison de ce qu'elle enregistrait sur le film et de ce qu'elle ajoutait ensuite à la main.

Anne Brigman était passionnée par la force de transformation de la nature autant que par les potentialités artistiques de la photographie. À une époque où la plupart des photographies de nus étaient prises en studio par des hommes, elle fut l'une des premières à photographier des nus féminins dans des lieux déserts. Dans ses écrits et dans ses photographies, elle décrit avec extase son expérience des paysages de l'Ouest, et ses images suggèrent souvent une union sacrée entre l'homme et la nature.

Le Cœur de l'orage illustre ce lien, en mettant l'accent sur les forces cataclysmiques de la nature tout en ménageant une place pour l'homme. Menacés par la puissance de l'orage imminent, les personnages de cette photographie trouvent refuge sous les arbres. Les lignes de la figure qui porte une robe drapée reprennent celles du tronc d'arbre strié derrière elle. Le nu entouré d'une auréole, ajouté au négatif par Anne Brigman, représente peut-être un ange gardien ou une dryade qui indique à l'autre figure où elle peut se mettre à l'abri. Le symbolisme et le mysticisme des photographies d'Anne Brigman étant intensément personnels, les particularités du récit ne sont parfois pas très claires ; néanmoins, l'image dégage une grande force d'émotion.   KW

Américain, 1874–1940
*Autoportrait avec petit
vendeur de journaux*, 1908

Tirage à la gélatine et à l'argent
13,9 x 11,8 cm
84.XM.967.1

Détail au verso

Lewis W. Hine naquit à Oshkosh, dans le Wisconsin, où il fréquenta la State Normal School et subit l'influence du professeur Frank A. Manny, spécialiste de la pédagogie et de la psychologie. En 1900, il entra à l'université de Chicago où il fut influencé par les théories sur la pédagogie de John Dewey et d'Ella Flagg Young. En 1901, Hine fut engagé par le professeur Manny, son mentor d'Oshkosh, pour enseigner l'histoire naturelle et la géographie à l'Ethical Culture School de New York. Il obtint ensuite une maîtrise de pédagogie et s'inscrivit en cours de sociologie à l'université de Columbia afin de préparer d'autres diplômes ; il est un des rares photographes de sa génération à être parvenu à un tel niveau universitaire.

À trente ans, Hine avait étudié la pédagogie et la psychologie avec certains des plus éminents spécialistes de ces domaines, mais il n'avait pas encore découvert l'utilité de la photographie pour sa vocation d'enseignant et son engagement social. Apparemment, Manny poussa Hine à se mettre à la photographie à l'âge de trente-trois ans et l'impliqua dans le projet de photographie des immigrants qui arrivaient à Ellis Island. Hine se servait d'un appareil monté sur un trépied pour photographier ses sujets et d'un flash à la poudre de magnésium pour les éclairer. En 1907, il décida de se consacrer exclusivement à la photographie et, invité par Paul Kellogg, rejoignit l'équipe de travailleurs sociaux, d'artistes et de journalistes qui rendaient compte des conditions sociales dans la ville de Pittsburgh. Grâce à sa réussite dans la photographie ayant un fort intérêt d'un point de vue humain, il fut engagé en 1908 par le National Child Labor Committee de New York, moyennant un salaire de cent dollars par mois plus les frais.

Hine réalisa cet *Autoportrait avec petit vendeur de journaux* peu après avoir commencé à travailler à plein temps pour le National Child Labor Committee. Pendant huit ans, il photographia l'exploitation des enfants de moins de quatorze ans. Il inventa le terme de "*photostory*" (photo-narration) pour décrire le processus d'élaboration d'un récit à partir des différentes facettes d'un sujet. Son génie réside dans la force avec laquelle il mêlait l'objectivité et les sentiments personnels profonds qu'il ressentait pour les visages devant son appareil. Ici, son ombre domine le premier plan ; il tient le câble de l'obturateur relié à l'appareil monté sur un trépied. La scène se passe sans doute en début de matinée. Le jeune garçon porte une casquette publicitaire Coca-Cola ; à l'arrière-plan, on aperçoit une publicité pour la Danbury Hat Company. Hine préférait la lumière vive, qui amplifiait tous les détails de l'image – ce qui oblige ici le garçon, dont le bras est à peine plus long qu'une page de journal, à détourner la tête.

WN

29 BARON ADOLF DE
MEYER
Américain (né en Allemagne),
1868–1946
Portrait de Joséphine Baker,
1925

Tirage à la gélatine et à l'argent
39,1 x 39,7 cm
84.XP.452.5

Destiné à devenir le premier photographe de mode célèbre, le baron Adolf de Meyer passa sa vie à naviguer d'un cercle mondain à l'autre en Europe comme aux États-Unis. Au sommet de sa carrière, il faisait autorité en matière de goût et était une sorte d'arbitre du savoir-vivre. Pendant des années, De Meyer pratiqua la photographie en amateur de grand talent ; il était membre du Linked Ring et de la Photo-Secession (voir no. 26). Sa sensibilité pictorialiste devait plus tard influer directement sur ses travaux commerciaux. Juste avant le début de la Première Guerre mondiale, De Meyer s'enfuit d'Europe en direction de New York, où il devint photographe professionnel à plein temps. À l'époque, les illustrations des revues de mode étaient pour la plupart des gravures ou des dessins. De Meyer, ainsi qu'Edward Steichen, ouvrirent une ère nouvelle en interprétant les vêtements et les accessoires de mode à travers l'objectif de leur appareil. L'un travaillait pour Condé Nast et l'autre pour William Randolph Hearst ; ils inventèrent presque simultanément la profession de photographe de mode telle qu'on la connaît aujourd'hui. De Meyer travaillait exclusivement pour des publications de grande qualité, *Vogue, Vanity Fair* et *Harper's Bazaar* notamment, pour lesquelles il réalisait des "portraits mondains" et d'élégantes publicités. Son art se caractérise par l'utilisation d'une lumière douce et diffuse, une sophistication désinvolte et une fascinante élégance ; il inventa un type de lumière noire qui permettait de baigner les cheveux des femmes dans un halo de lumière.

Le baron était un expert dans l'art de saisir la personnalité de ses modèles ; il savait mettre en évidence les qualités doubles de l'intelligence et de la sensualité chez ses sujets féminins. Cette photographie de Joséphine Baker est un exemple remarquable de son talent ; elle a été prise pour figurer sur une publicité des Folies-Bergère peu après les débuts parisiens de l'artiste. Danseuse originaire de Saint Louis, dans le Missouri, Joséphine Baker fit sensation en France par sa sensualité exotique, son air pétillant, son allure et son talent comique. De Meyer saisit sa personnalité à travers son visage et non pas en exhibant son corps célèbre. La pose décentrée de Joséphine Baker, comme si elle allait se mettre à danser, est équilibrée par l'arrière-plan à la mise au point floue et les effets calculés de lumière qui mettent en valeur ses grands yeux malicieux.   JM

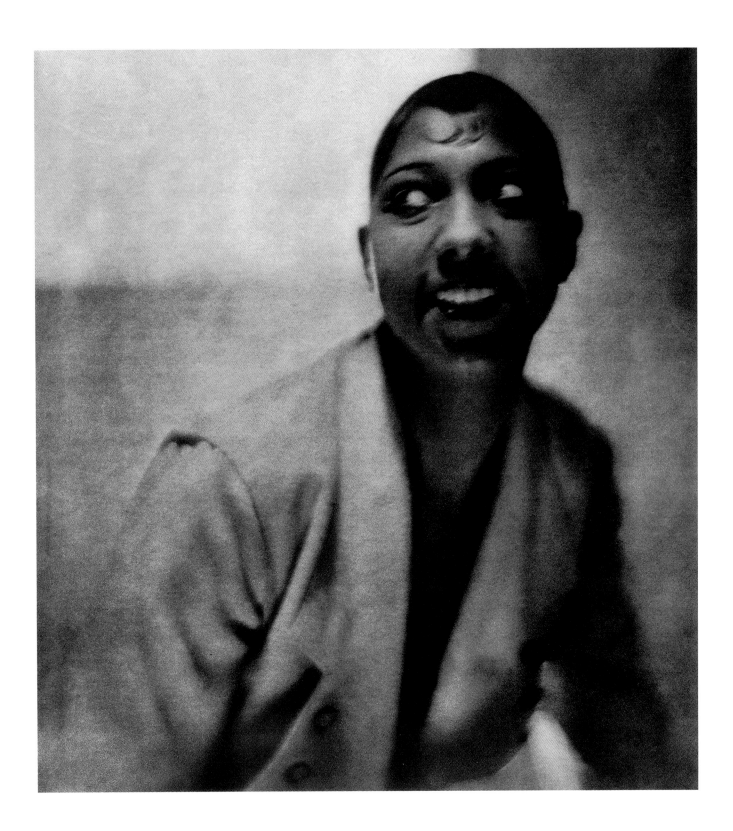

30 ALFRED STIEGLITZ
Américain, 1864–1946
Georgia O'Keeffe, un portrait,
1918

Tirage au palladium
24,3 x 19,3 cm
93.XM.25.53

Peu de noms de photographes sont aussi connus que celui d'Alfred Stieglitz. Durant la première décennie du XXe siècle, il prouva aux Américains, par ses travaux, ses écrits et ses publications, que les photographies pouvaient être des œuvres d'art. Lorsqu'il rencontra en 1916 l'artiste Georgia O'Keeffe, il exposait ses photographies depuis plus d'un quart de siècle. Pendant les vingt ans de création qu'il avait encore devant lui, O'Keeffe devint sa muse, sa femme et sa meilleure amie.

Au cours du premier semestre de 1916, époque à laquelle Georgia O'Keeffe vivait et travaillait à New York, Stieglitz présenta ses aquarelles dans une exposition de groupe organisée à la galerie 291, qui lui appartenait. Georgia O'Keeffe se rendit à la galerie et exigea, paraît-il, qu'il décroche ses œuvres parce qu'il ne lui avait pas demandé l'autorisation de les exposer. Ainsi commença une relation tumultueuse qui devait durer trente ans. Deux ans plus tard, ils étaient profondément amoureux et commençaient à vivre ensemble dans un appartement situé au cinquième étage d'un immeuble de Madison Avenue, dont la propriétaire était la nièce de Stieglitz.

L'été 1918 fut à New York l'un des plus chauds qu'on ait connu. "Il faisait si chaud que je m'asseyais pour peindre avec rien sur moi", raconta plus tard Georgia O'Keeffe ; Stieglitz saisit l'occasion de la photographier à diverses étapes de sa nudité et de son humeur, et sous de nombreux angles différents. Pour être à l'aise, Georgia O'Keeffe portait souvent un kimono blanc et diaphane brodé d'un motif floral. Sur ce portrait, ses cheveux non coiffés tombent sur ses épaules dans une composition qui hésite de manière frappante entre le réel et l'idéal, l'avoué et le symbolique, l'évident et le caché. Elle regarde directement le photographe, impliquant ainsi le spectateur dans l'expérience. Sa pose et son attitude rappellent non seulement les Madones de type *Virgo Lactans* de l'iconographie chrétienne, mais aussi les déesses bouddhistes avec leurs mains placées en coupe sous leurs seins. Stieglitz recherchait manifestement à évoquer la sexualité comme une expression du sacré.

Pendant les deux décennies suivantes, Stieglitz rassembla environ 325 photographies à partir de ses études de Georgia O'Keeffe. Il donna à l'ensemble, jamais publié ni exposé dans son intégralité, le titre de *Georgia O'Keeffe, un portrait.* WN

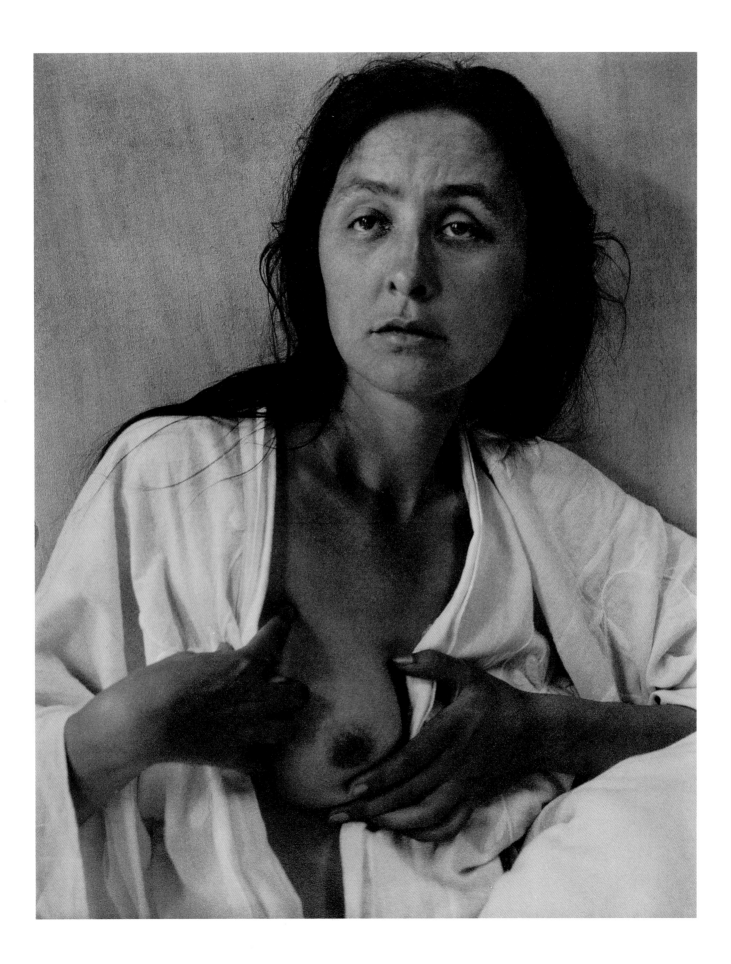

31 PAUL STRAND
Américain, 1890–1976
Rebecca, New York, 1923

Tirage au palladium
25,2 x 20 cm
86.XM.683.54

Paul Strand, né à New York, apprit la photographie quand il était étudiant, fréquentant après ses cours un club parrainé par Lewis Hine (voir no. 28) à la Ethical Culture School. Le style des compositions de Hine et son intérêt pour la photographie en tant qu'instrument du changement social eurent une forte influence sur Strand, même si leur association fut de courte durée. Strand devint plus tard le protégé d'Alfred Stieglitz qui organisa en 1916 la première exposition entièrement consacrée à ses travaux et publia en 1916 et en 1917 ses photographies dans la luxueuse revue *Camera Work*.

Strand épousa Rebecca Salisbury en 1922, soit un an avant de réaliser ce portrait intime. Il avait commencé à la photographier en 1920, peu après leur rencontre ; il réalisa plus de cent photographies de Rebecca au cours des douze années de leur vie commune. Dans les années 1920, les Strand étaient très liés avec Stieglitz et Georgia O'Keeffe, et cette série de portraits doit beaucoup aux photographies de Georgia O'Keeffe par Stieglitz (voir no. 30). Les portraits de la femme de Strand se caractérisent toutefois par l'émotion brute et sans artifice qui s'en dégage, absente de l'œuvre plus structurée de Stieglitz.

Dans ce portrait, Rebecca est présentée en très gros plan ; elle est probablement allongée dans son lit. De par la position de l'appareil, le spectateur surplombe son visage. Le renflement et le creux de son épaule dénudée sont exposés et paraissent assez proches pour qu'on puisse les toucher. Tandis que l'œil minutieux de l'appareil révèle son aspect physique dans tous ses détails, presque comme au microscope, montrant les moindres traits et taches de rousseur de sa peau, elle refuse de laisser percer à jour ses pensées et ses sentiments en fermant les yeux et en tournant la tête de côté. La pose de Rebecca avait aussi en partie une fonction pratique : allongée, elle risquait moins de bouger et de faire rater la prise de vue. Le léger flou de l'image lui donne une douceur qui vient tempérer l'examen sévère en gros plan du sujet.   KW

32 EDWARD WESTON
Américain, 1886–1958
Los Angeles (Fabriques de plâtre),
1925

Tirage au platine
19,2 x 24 cm
86.XM.710.5

Détail au verso

Désireux de fuir la banlieue de Chicago de son enfance, Edward Weston dirigea un atelier de portrait dans la banlieue de Los Angeles pendant plus de dix ans. Finalement, il se lassa de la routine et de l'absence de satisfaction artistique de ce travail. En 1923, il partit pour le Mexique à la recherche d'une culture plus authentique, d'une meilleure façon de gagner sa vie et de la liberté de pratiquer son art. Avec sa compagne, la photographe Tina Modotti, il réussit à visiter une grande partie du pays tout en photographiant pour des commandes les monuments anciens, l'art indigène et les églises provinciales. Bien que préférant la vie de bohème, Weston revenait de temps en temps en Californie pour rendre visite à sa famille et exposer ses travaux. Il photographia le complexe d'Armco dans l'Ohio et plus tard les usines de Pittsburgh, mais l'architecture industrielle ne fut jamais un de ses thèmes favoris. Toutefois, il passa une bonne partie de l'année 1925 à Los Angeles, où il prit cette photographie atypique.

Au milieu des années 1920, Weston cherchait à rompre avec le style pittoresque du pictorialisme, mais à l'évidence le procédé délicat du tirage au platine avait encore sa préférence, et il ne pouvait se résoudre à ne photographier que des formes nettement tranchées. Les fabriques de plâtre reproduites ici se révélèrent un sujet parfait pour cette période transitoire car les surfaces étaient constamment recouvertes d'une couche de poudre blanche. L'accent mis par Weston sur les textures extérieures de tôle ondulée et la poudre de plâtre met en valeur la forme abstraite de la construction aux toits et aux cheminées multiples qui, de cette position avantageuse, ne paraît pas former un bâtiment massif. Une impression d'apesanteur vient renforcer le sentiment que l'atmosphère du lieu, plus que l'architecture elle-même, constitue la principale préoccupation du photographe. Cette épreuve baigne dans la lumière du soleil du sud de la Californie. Il s'agit en fait d'une représentation singulière de ce que Weston appelait "le village impossible". Étrangement, le calcaire et le sable qui étaient broyés derrière ces murs constituèrent un matériau essentiel dans la construction de Los Angeles qui, d'un simple "village" au départ, devint une ville cosmopolite.   JK

33 EL LISSITZKY
Russe, 1890–1941
Kurt Schwitters, 1924–1925

Tirage à la gélatine et à l'argent
11,1 x 10 cm
95.XM.39

El Lissitzky fut l'une des figures majeures de l'art russe du début du XXe siècle ; il est surtout connu pour la série de travaux qu'il réalisa sans l'aide d'aucun objectif, intitulée Prouns. Il se rendit en Allemagne en 1909 pour étudier l'architecture à la Technische Hochschule de Darmstadt et retourna en Russie cinq ans plus tard pour poursuivre ses études à Moscou. Ensuite, il fut invité par le peintre Marc Chagall à enseigner l'architecture et l'art graphique dans une école progressiste de Vitebsk. Lissitzky retourna en 1921 en Allemagne, où il s'attacha à faire connaître les réalisations artistiques soviétiques, participant notamment à l'organisation d'une grande exposition itinérante d'œuvres soviétiques qui fut présentée à Berlin à l'automne 1922. Au début de son séjour, il rencontra László Moholy-Nagy (voir no. 37) et d'autres membres de l'avant-garde internationale de Berlin et commença à s'intéresser tout particulièrement aux possibilités artistiques de la photographie. Tandis que la peinture russe utopique, composée de formes et de couleurs pures, laissait place à la préférence communiste pour l'art figuratif, la photographie offrit peut-être à Lissitzky le moyen de faire des expériences à partir d'images ancrées dans la réalité observable.

En 1922, Lissitzky rencontra Kurt Schwitters (1897–1948), artiste lié au mouvement dada et connu pour ses collages et ses poèmes aux sons dénués de sens. Lors d'un séjour à Hanovre, Lissitzky collabora avec Schwitters au numéro de juillet 1924 de sa revue *Merz* et ce portrait dynamique date de cette époque. Alors que la plupart des portraits exigent du sujet qu'il demeure immobile, Lissitzky a choisi de montrer Schwitters, en mouvement – effet qu'il renforce en présentant des vues multiples de la tête de l'artiste (procédé obtenu en utilisant plus d'un négatif pour le tirage final). Deux photographies de Schwitters en train de réciter un poème sont superposées sur la couverture de *Merz*, ainsi qu'une affiche promotionnelle et un fragment de publicité. À l'arrière-plan, on peut voir un condensé des activités communes de Lissitzky et de Schwitters, qui évoque une personnalité complexe impossible à saisir en une seule vue. Le perroquet qui apparaît à la place de la bouche de Schwitters fait sans doute référence à sa façon de réciter en braillant *Ursonate*, un poème composé de mots inventés et de sons dépourvus de sens. La ressemblance de cette photographie avec un collage laisse penser que Lissitzky était réceptif à l'approche artistique de Schwitters.   KW

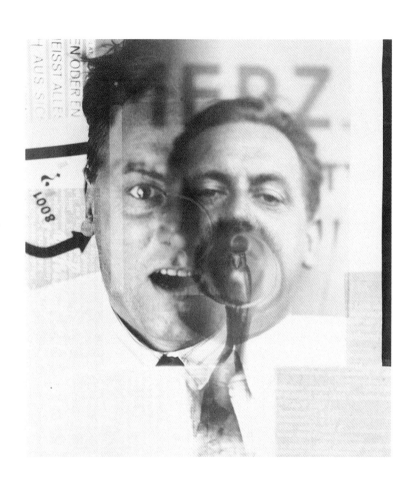

34 MAN RAY
(Emmanuel Radnitsky)
Américain, 1890–1976
Rayographie sans titre (Revolver avec stencils alphabétiques),
1924

Tirage à la gélatine et à l'argent
29,5 x 23,5 cm
84.XM.1000.171

Né à Philadelphie, Man Ray se rendit en 1921 pour la première fois à Paris, où il effectua la majeure partie de sa carrière. L'atmosphère de liberté créatrice qu'il y trouva le poussa à réaliser certains de ses travaux les plus inventifs, dont un grand nombre de photographies prises sans appareil qu'il appela "rayographies". Un incident dans la chambre noire pendant qu'il développait des photographies pour le couturier Paul Poiret serait à l'origine de la "découverte" par Man Ray de cette technique (appelée au XIXᵉ siècle "dessin photogénique") qui consiste à disposer des objets sur un papier photographique et à les exposer sous une source lumineuse qui dessine leurs contours. "Je me suis libéré de la matière poisseuse de la peinture et je travaille directement avec la lumière", écrivait Man Ray à Ferdinand Howald, un de ses clients, en avril 1922.

Pour créer cette image, l'artiste a disposé un revolver, des stencils et quelques autres objets sur un papier sensible à la lumière. Les lettres sont éparpillées comme les balles tirées par un revolver et se découpent de façon lumineuse sur la toile de fond recouverte d'encre. Se jouant de l'interprétation rationnelle, elles refusent de se laisser assembler en mots reconnaissables. Les rayographies de Man Ray sont proches de l'esprit surréaliste, mouvement apparu en France au milieu des années 1920 et dans lequel des écrivains et des artistes cherchaient à reproduire leurs rêves et leurs pensées en les libérant de la censure de la raison. De la même façon, ces photographies utilisaient des objets du monde tangible pour créer un panorama ambigu de l'esprit.   KW

35 EUGÈNE ATGET
Français, 1857–1927
Attraction foraine, 1925

Tirage à la gélatine et à l'argent
de Berenice Abbott (Américaine,
1898–1991), vers 1954
17,3 x 22,5 cm
90.XM.64.14

Détail au verso

Cette photographie étrange date de la fin de la longue et productive carrière d'Eugène
Atget, inlassable photographe de Paris, de ses devantures, des fragments architecturaux
de son passé insérés dans des édifices plus récents, de ses rues les plus anciennes
désertes à l'aube et de ses parcs royaux. Cette photographie, éclairée par l'ampoule
nue qui surplombe un bric-à-brac à première vue sans aucun lien d'images, de signes,
de chaussures et de meubles, encadré par une sorte de châssis de fenêtre, paraît tout
d'abord étrange et incompréhensible. Pour la déchiffrer, il faut regarder les images qui
y figurent. Elles représentent les deux artistes qui utilisaient les chaises que l'on voit sur
la photographie, de tailles extrêmement différentes – l'une est géante, l'autre minuscule.
Au pied de ces chaises est placée une chaussure appartenant à chacun des deux hommes.
On peut imaginer que lors de la fête foraine annuelle de ce quartier de Paris où fut
réalisé le négatif de cette photographie, les deux acteurs mal assortis commençaient
leur spectacle en s'avançant pour s'asseoir sur leur chaise et enfiler leur chaussure. Cette
scène apparemment surréaliste correspond tout à fait à ce qui attira Marcel Duchamp,
Man Ray et son assistante de l'époque, Berenice Abbott, vers les travaux d'Atget. Ils
s'intéressaient aux éléments bizarres et inattendus de ces images, tandis qu'Atget lui-
même cherchait plutôt à sauvegarder la mémoire des manèges et des affiches de cirque,
des spectacles de marionnettes et des ménageries typiques de ces fêtes foraines qui, déjà
à son époque, étaient en train de disparaître en tant que phénomènes urbains. Berenice
Abbott montra plus qu'un intérêt passager pour les travaux d'Atget. Elle commença
par réaliser une série de portraits du vieux photographe, puis sauvegarda ses épreuves
et ses négatifs après sa mort et lui ménagea une place de choix dans le panthéon de la
photographie en écrivant sur son œuvre et en réalisant de nouveaux tirages à partir de
ses négatifs.   GB

36 ALBERT RENGER-
PATZSCH
Allemand, 1897–1966
*Fers à chauffer pour atelier
de chaussures*, vers 1928

Tirage à la gélatine et à l'argent
23 x 17 cm
84.XM.138.1

Albert Renger-Patzsch avait vingt ans de moins que son célèbre compatriote August Sander (voir no. 38) ; les différences notables de leurs styles sont peut-être dues en partie à cet écart de génération. L'art de Sander était issu du style pictorialiste, tandis que Renger-Patzsch développa son approche en réaction à ce style. Sander était un humaniste convaincu alors que Renger-Patzsch était un homme de l'âge des machines. Sander admirait le travail manuel, Renger-Patzsch était attiré par les produits faits à la machine et par tous les appareils de l'ère industrielle.

L'approche de Renger-Patzsch puise à des sources contradictoires. En tant que directeur du studio de photographie de la maison d'édition Folkwang (qui devait s'appeler plus tard Auriga) à Hagen en Allemagne, il photographiait des spécimens botaniques, souvent en si gros plans qu'ils en devenaient abstraits. Il était manifestement fasciné par le fait d'utiliser une machine – son appareil-photo – pour exprimer la poésie de formes purement organiques et par l'opposition entre nature et machine. Étrangement, Renger-Patzsch pensait que la nature et l'industrie partageaient certains points communs purement visuels.

L'influence de la nature sur Renger-Patzsch se retrouve dans cette étude, *Fers à chauffer pour atelier de chaussures*. Renger-Patzsch avait photographié pour la maison d'édition Folkwang des spécimens de plantes grasses exotiques ; parmi ses meilleures photographies figurent des plantes aux branches couvertes d'épines ou d'écailles, disposées en motifs systématiquement récurrents. Le photographe des produits industriels et commerciaux était responsable de la disposition des objets avant la prise de vue. En regroupant les fers à chauffer de cette manière, Renger-Patzsch semble reprendre délibérément les motifs qu'il avait trouvés dans la nature. Le spectateur peut imaginer que les fers à chauffer sont les arbres d'une forêt ou des soldats au garde-à-vous pour une revue militaire.

WN

37 LÁSZLÓ MOHOLY-NAGY
Américain (né en Hongrie),
1895–1946
Les Sœurs Olly et Dolly,
vers 1925

Tirage à la gélatine et à l'argent
37,4 x 27,5 cm
84.XM.997.24

László Moholy-Nagy quitta sa Hongrie natale pour des raisons politiques et arriva en Allemagne en 1920. Son atelier berlinois devint un lieu de rencontre célèbre pour les artistes du monde entier et sa philosophie artistique personnelle reflétait ces influences diverses. Moholy-Nagy utilisait de nombreux modes d'expression, dont la peinture, la photographie et le cinéma ; il enseigna à l'école d'arts décoratifs du Bauhaus à Weimar de 1923 à 1928. Il émigra plus tard aux États-Unis, où il fonda le New Bauhaus à Chicago (connu aujourd'hui sous le nom d'Institute of Design), qui s'appuyait sur les principes de son précurseur en Allemagne (voir no. 39).

L'exploration des possibilités créatrices de la photographie, entreprise en 1922 par Moholy-Nagy, témoigne du souci qu'il avait de repousser les limites de ce mode d'expression. Ses photomontages sont un exemple de son approche inventive de cet art : pour réaliser ces compositions, il découpait des images dans des revues à grand tirage, les collait pour créer des compositions surprenantes et les photographiait de manière à faire disparaître les coupes. Le titre de la photographie que l'on voit ici fait référence aux Dolly Sisters, un couple de danseuses célèbres en Europe et aux États-Unis de 1911 à 1927. Ces deux sœurs jumelles en tout point semblables, Jenny et Rosie, se produisirent au Moulin-Rouge et dans les Ziegfield Follies ; elles étaient connues pour leur beauté et leurs prouesses au jeu. Les deux sœurs passèrent les dernières années de leur vie à Los Angeles ; elles sont aujourd'hui enterrées au cimetière de Forest Lawn à Glendale.

Tous ces faits ne sont cependant pas d'un grand secours pour interpréter cette photographie. On reconnaît la forme d'une artiste en costume, mais l'œil est immédiatement attiré par le vide créé par les disques noirs. Non seulement ils contrarient notre attente d'éléments visuels intelligibles, mais ils créent aussi une sorte d'espace négatif, une tache qui se transforme en trou quand on la regarde. La poupée est-elle assise au sommet du monde, ou bien est-elle sur le point de tomber dans le vide ? La tache qui recouvre son visage la dépersonnalise et contribue à l'effet de distanciation, renforcé par le vide qui l'entoure. Une tension non résolue résulte de l'incompatibilité entre le sujet joyeux suggéré par le titre et l'absence de tête de la danseuse. KW

38 AUGUST SANDER
Allemand, 1876–1964
Jeunes fermiers, vers 1914

Tirage à la gélatine et à l'argent
23,5 x 17 cm
84.XM.126.294

Entre 1910 et 1912, August Sander décida de délaisser son atelier de portrait – et ses clients raffinés – de Lindenthal, dans la banlieue de Cologne, pour photographier les fermiers et les autres habitants de la campagne environnante. Il se rendait en train de Lindenthal vers les régions du Siegerland et du Westerwald, où il avait passé son enfance. Quand il descendait du train, il installait son équipement sur sa bicyclette et cherchait des modèles sur les chemins de campagne. Il y rencontrait des sujets comme les jeunes fermiers de cette photographie, qui est peut-être son premier chef-d'œuvre. Loin du cadre de son atelier, qu'il maîtrisait parfaitement, et de sa lumière prévisible, sans emplacement fixe où placer son appareil et sans endroit précis où faire poser ses modèles, il devait se servir de son appareil de façon très ingénieuse pour placer ses personnages dans le paysage qui leur était familier.

Le talent de Sander réside dans le regard étrange qu'il portait sur les choses familières. Ce portrait réalisé sur le bord de la route parvient à transmettre une impression de mystère grâce à la puissance avec laquelle le photographe a exploité le hasard et l'occasion. Les sujets ne posent pas, mais semblent plutôt avoir été pris au dépourvu alors qu'ils marchaient sur le chemin de terre. La prise de vue a été réalisée avec une grande ouverture du diaphragme, ce qui explique le flou et la texture diffuse de l'arrière-plan. La spontanéité et le sens du déroulement d'une situation sont très différents des poses frontales typiques des travaux réalisés jusque-là par Sander dans son atelier. Il s'agit peut-être d'une des premières prises de vue où Sander prend conscience de son art comme appartenant à l'histoire culturelle du portrait. Sander appela le premier recueil de ces photographies *Antlitz der Zeit* (Visage de l'époque) et employa plus tard le terme d'"Homme du XXᵉ siècle" pour évoquer le sujet de ses travaux.

La particularité de la méthode de Sander – sensibilité aux détails du costume, prise en compte de la pose, de l'expression ou du geste révélateur, œil sachant saisir les attributs symboliques de la position sociale (ici les costumes, les chapeaux et les cannes) – lui permit de passer du portrait traditionnel au documentaire social.   WN

39 T. LUX FEININGER
Américain (né en Allemagne),
1910
L'Orchestre du Bauhaus,
vers 1928

Tirage à la gélatine et à l'argent
11,3 x 8,3 cm
85.XP.384.94

T. (Theodore) Lux Feininger avait neuf ans lorsque sa famille s'installa à Weimar ; son père, le peintre Lyonel Feininger, avait accepté un poste de professeur au Bauhaus. T. Lux (nom qui veut dire "lumière" en latin) commença à y étudier en 1926, s'intéressant surtout au domaine du théâtre. Il obtint son diplôme en 1929, l'année où furent créés les cours de photographie. Feininger avait été attiré par ce moyen d'expression dès 1925, comme le prouvent les nombreuses photographies où on le voit avec un appareil autour du cou. Toutefois, il s'intéressait moins à la photographie en tant que moyen d'expression artistique que comme une façon de garder une trace des événements importants pour lui : représentations théâtrales ou concerts, fêtes et pitreries de ses amis étudiants.

Le Bauhaus parrainait nombre de fêtes et de bals, ce qui fournissait l'occasion de créer des costumes ; les étudiants formèrent un orchestre de jazz Dixieland (dans lequel Feininger jouait de la clarinette et parfois du banjo) qui se produisait lors de ces soirées. Cette photographie pleine d'entrain des membres de l'orchestre de jazz du Bauhaus fut sans doute prise sur le toit de l'école. Feininger a saisi avec adresse le jeu spontané des participants se répondant les uns les autres en exprimant l'exubérance de la musique et la gaieté de ses jeunes amis.

Bien que magistralement composée, cette photographie, proche d'un instantané, évoque un moment fugitif saisi dans le temps. Waldemar Adler gratte vigoureusement les cordes du banjo que porte Ernst Egeler, tandis que le joueur de trombone Josef Tokayer est perché de façon précaire sur une échelle qui paraît osciller en mesure – ce qui fait s'envoler sa casquette. Ce château de cartes s'écroula sans doute juste après que l'appareil l'eut figé pour toujours sur la pellicule.   KW

40 WALKER EVANS
    Américain, 1903–1975
    Citoyen de La Havane, 1933

    Tirage à la gélatine et à l'argent
    22,3 x 11,8 cm
    84.XM.956.484

    Détail au verso

Walker Evans est considéré par beaucoup comme responsable, à travers ses photographies, de l'idée que l'on se fait de la récession américaine ainsi que de la façon dont on se représente le sud de l'Amérique. Fils d'un publicitaire, Walker Evans naquit à Saint Louis, passa son enfance dans l'Illinois et l'Ohio et fréquenta diverses écoles privées de la côte est. Son style photographique – qui est considéré comme la quintessence du style américain et qu'on qualifie souvent de documentaire – a été nourri par le New York des années 1920 et aiguisé par ses expériences à l'étranger. Au printemps 1933, on demanda à Evans de faire un voyage aux Caraïbes pour illustrer l'ouvrage de Carleton Beals, *The Crime of Cuba*. La Havane devint pour lui ce que Paris avait été pour le photographe Eugène Atget au début du siècle (voir no. 35), c'est-à-dire une ville qui ne manquait pas de sujets forts et qu'il décrivit en détails tout en la remodelant selon sa vision personnelle.

Le citoyen de La Havane de Walker Evans peut être considéré comme une interprétation moderne du dandy du XIXᵉ siècle de Charles Baudelaire, un homme dont "la seule profession est l'élégance" et dont l'élément naturel est la foule. Ce n'est pas seulement la taille inhabituelle du flâneur d'Evans qui en fait un portrait surprenant, mais aussi son visage expressif qui semble à la fois sage et malfaisant, ancien et contemporain. Le photographe situe ce personnage mystérieux au coin d'une rue animée et l'entoure des visages séducteurs des couvertures des revues de cinéma, de publicités américaines et du visage innocent d'un petit cireur de chaussures – contrastes ordinaires mais toujours saisissants.

Le personnage peut aussi être considéré comme le symbole de ce que Beals décrivait comme la virilité omniprésente des rues de La Havane. À un autre niveau, le fait qu'Evans ait choisi cet individu héroïque pour représenter le citoyen de La Havane pourrait bien être ironique, car il s'agit d'un membre d'une population privée de ses droits civiques et qui, selon Beals, se sentait exilée dans son propre pays. Evans revint tout au long de sa carrière sur le sujet de l'homme de la rue anonyme, alors qu'il travaillait pour la United States Resettlement Administration et la revue *Fortune* dans le Mississippi, en Floride, à Bridgeport, à Detroit et à Chicago et tandis qu'il arpentait les rues de son "village" – Manhattan.   JK

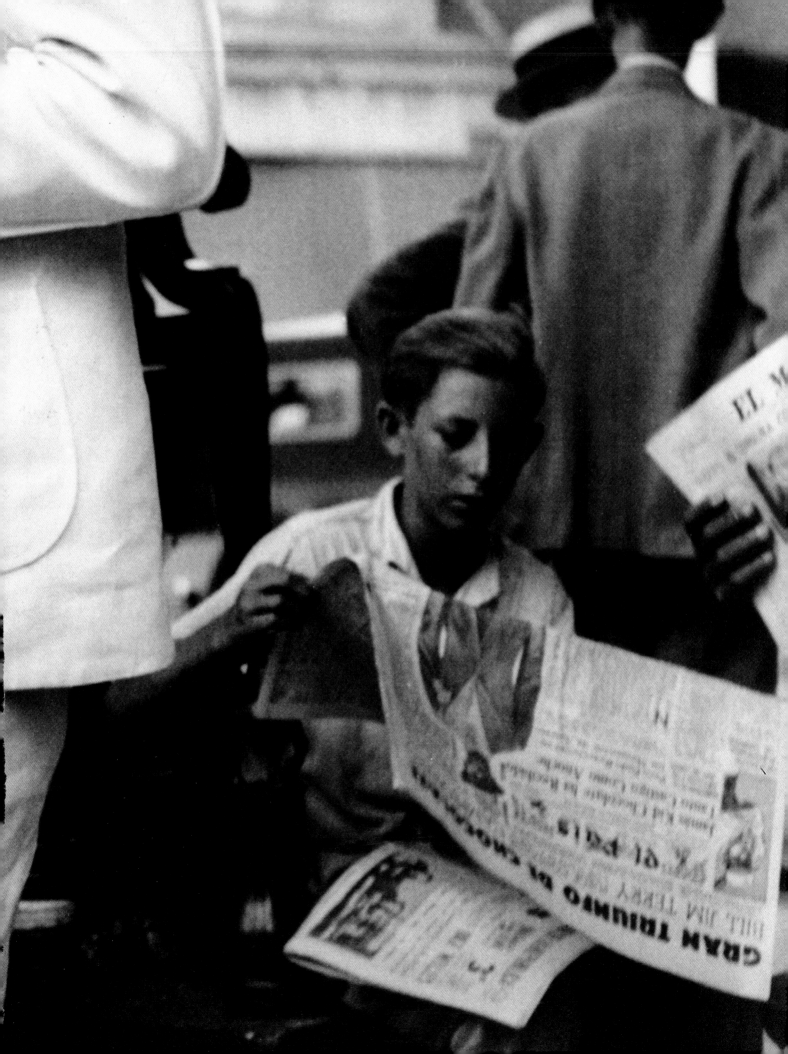

41 MANUEL ALVAREZ
BRAVO
Mexicain, né en 1902
La Fille des danseurs, 1933

Tirage à la gélatine et à l'argent
23,3 x 16,9 cm
92.XM.23.23

Tout au long de sa carrière qui s'étendit sur de nombreuses décennies et reflète beaucoup de changements dans les modes artistiques, Manuel Alvarez Bravo a toujours fait des photographies provocatrices. Bien que ses travaux n'aient pas été reconnus pendant des années par les principaux courants des milieux artistiques, il est aujourd'hui considéré par beaucoup comme l'un des plus grands artistes mexicains.

Alvarez Bravo commença sa carrière au moment où le modernisme s'épanouissait au Mexique et où la révolution était encore sensible. Il expérimenta différents moyens d'expression avant de se décider pour la photographie, et entretint des relations avec la plupart des grands artistes mexicains au cours des années 1920 et 1930. Alvarez Bravo noua également des liens formateurs avec des photographes expatriés comme Paul Strand, Edward Weston, Tina Modotti et Henri Cartier-Bresson. Ces différents liens d'amitié donnèrent à ses photographies une esthétique moderniste poussée, qu'il mêla à l'esprit mexicain. Les travaux d'Alvarez Bravo étaient admirés par les surréalistes, notamment par André Breton qui lui commanda une photographie pour la couverture de la brochure de l'Exposition surréaliste de 1939. À côté de ses travaux photographiques, Alvarez Bravo travailla comme cameraman au Sindicato de Trabajadores de la Producción Cinematográfica de México avec des réalisateurs tels que Sergei Eisenstein, Luis Buñuel et John Ford.

Une grande partie de l'œuvre d'Alvarez Bravo se caractérise par des sujets de type contemplatif auxquels il applique des titres poétiques. Rien dans l'apparence de la fillette ne suggère qu'elle est fille de danseurs, ou danseuse elle-même, sauf peut-être sa façon de placer ses bras et de se tenir sur ses pieds pour regarder par la fenêtre ronde. Cette photographie présente un équilibre presque parfait entre la lumière, les lignes et les formes. Les cercles du chapeau de la fillette rappellent les cercles de la fenêtre. Ses bras inclinés reprennent l'angle des carreaux peints. La géométrie de la composition illustre la patience et la réflexion qui caractérisent les photographies d'Alvarez Bravo – des photographies de personnes anonymes occupées à des tâches ordinaires. JM

42 DORIS ULMANN
Américaine, 1882–1934
Sœur Mary Paul Lewis,
La Nouvelle-Orléans, 1931

Tirage au platine
21,3 x 16,3 cm
87.XM.89.80

Originaire de New York, Doris Ulmann étudia la psychologie avant de se consacrer finalement à la photographie. La philosophie humaniste de l'Ethical Culture School et les idées socialistes de son maître, le pictorialiste Clarence White, contribuèrent sans doute à sa passion pour le portrait – qui transparaît aussi bien dans ses photographies des membres des cercles littéraires de Manhattan que dans celles des Shakers de la colonie primitive de Mount Lebanon ou des artisans des montagnes du Kentucky. Au cours d'une mission consistant à réunir des portraits et visant à préserver la vie folklorique américaine, elle eut comme associés John Jacob Niles, un auteur de ballades, Allen Eaton, chercheur à la Russell Sage Foundation, et Julia Peterkin, une romancière de Caroline-du-Sud. La collaboration entre Doris Ulmann et Julia Peterkin inspira *Roll, Jordan, Roll* (1933), un aperçu explicatif de la culture noire rurale en déclin mêlant prose, fiction et photographies. Les textes vivants de Julia Peterkin empruntaient souvent aux contes populaires et au dialecte local et complétaient les portraits sensibles réalisés par Doris Ulmann avec son volumineux appareil de prise de vues.

Doris Ulmann et Julia Peterkin se rencontrèrent sans doute à New York en 1929, lors de la cérémonie de remise du prix Pulitzer que la romancière venait de recevoir pour son dernier livre, *Scarlet Sister Mary*. Peu après, Doris Ulmann voyagea avec Julia Peterkin à travers la Louisiane, l'Alabama et la Caroline-du-Sud et lui rendit visite dans sa plantation, Lang Syne. Sur les conseils de son amie, Doris Ulmann fit plusieurs voyages à La Nouvelle-Orléans entre 1929 et 1931. Elle s'intéressa alors aux populations créoles et cajuns, ainsi qu'aux sœurs de la Sainte-Famille, une communauté française fondée en 1842 par des femmes libres de couleur. Elle photographia les sœurs individuellement, en groupe et avec leurs élèves à l'école de garçons du couvent.

Sœur Paul, dont le père était un métayer cultivé de Natchez, dans le Mississippi, entra au couvent en 1895 et servit l'ordre jusqu'à sa mort à l'âge de 101 ans en 1977. Ce portrait reflète l'intérêt de Doris Ulmann pour la vie des communautés cloîtrées ou isolées ; il montre une personne à la dignité exceptionnelle et à l'allure majestueuse. À la différence de beaucoup d'œuvres pictorialistes, ce portrait est éloquent sans être ouvertement narratif et les bords atténués de l'épreuve au platine ne peuvent supprimer l'aspect hardi de ce visage honnête. JK

43 ANDRÉ KERTÉSZ
Américain (né en Hongrie),
1894–1985
Bras et ventilateur, New York,
1937

Tirage à la gélatine et à l'argent
13,6 x 11,3 cm
85.XM.259.15

Bien qu'ayant vécu et travaillé onze ans à Paris et plus de quarante ans à New York, André Kertész parlait mal le français et l'anglais et ne s'exprimait couramment que dans sa langue maternelle, le hongrois. Ses photographies compensaient dans une large mesure son manque d'aisance verbale et elles devinrent son moyen d'expression personnel. La photographie apportait à Kertész un réconfort et était pour lui une façon de parvenir à une compréhension émotionnelle et psychologique du monde. La fraîcheur et la sincérité de sa vision amenèrent le poète surréaliste Paul Dermée à déclarer : "Ses yeux d'enfant voient chaque chose pour la première fois."

Après avoir découvert en 1928 à Paris le Leica 35 mm, Kertész préféra travailler avec un équipement léger facile à porter, qui permettait d'obtenir un temps de réponse plus rapide lors des prises de vue. Il dit un jour : "L'instant s'impose toujours dans mon travail […]. Tout le monde regarde, mais ne voit pas forcément […]. Je vois une situation et je sais que c'est juste." Le plus grand talent de Kertész est de saisir et de révéler la beauté dans des moments qui peuvent paraître insignifiants ou ordinaires à tout le monde.

L'isolement visuel du bras sans corps d'un réparateur travaillant sur le ventilateur d'un drugstore de Greenwich Village, à New York, au coin de la Fifth Avenue et de la Eighth Street témoigne d'un esprit désabusé et d'une fascination pour la magie insaisissable, accidentelle, qui fait tout le sel de la vie. Kertész, placé au niveau de la rue, pointe son appareil vers le haut, écrasant ainsi les volumes et saisissant l'ombre et la lumière projetées simultanément sur les pales du ventilateur. Le bras du réparateur est coincé de manière inquiétante entre deux lames d'acier et il faut regarder attentivement pour apercevoir sa silhouette à l'intérieur du drugstore sombre. En enlevant de l'image toutes les informations pouvant expliquer le contexte de cette étrange union entre l'homme et la machine, Kertész crée une photographie énigmatique qui pousse à la réflexion.

JC

45 CHARLES SHEELER
Américain, 1883–1965
Roues, 1939

Tirage à la gélatine et à l'argent
16,8 x 24,4 cm
88.XM.22.7

Charles Sheeler, connu principalement comme peintre précisionniste, était aussi très estimé pour ses photographies d'architecture et d'industrie. Très intéressé par les racines américaines de ces deux domaines, il fit des granges et des fermes de la région de Bucks County, en Pennsylvanie, le sujet de quelques-unes de ses premières photographies. Les caractéristiques de ses meilleures peintures – objectivité, grande définition et aplatissement pictural – se retrouvent dans un grand nombre de ses photographies. Encouragé par l'intérêt manifesté envers lui par Alfred Stieglitz, Sheeler s'installa à New York en 1919 ; il photographia alors la ville sous des angles inhabituels en faisant ressortir les formes géométriques abstraites.

En 1939, la revue *Fortune* commanda à Sheeler une série de peintures intitulée *Power* ("Puissance")afin de célébrer les machines industrielles qui étaient au centre de la richesse et de l'infrastructure de l'Amérique. Un des sujets était la locomotive à vapeur. N'ayant pas le temps d'étudier la roue motrice de cette locomotive de New York Central, il prit un certain nombre de photographies dans le but de les utiliser comme modèles. Des recherches méticuleuses avaient conduit Sheeler à choisir ce type de machine, considérée comme "la plus élégante de toutes les locomotives carénées". Sa vision fragmentaire du train transforme la masse et la puissance de la machine en strates complexes et abstraites de disques, de lignes horizontales et de subtiles diagonales mises en valeur par les jeux d'ombre et de lumière. Le spectateur perçoit toute la locomotive derrière les détails des arêtes aiguës de la roue motrice, les "*bogies*" plus petits et le condensateur. Ce dernier élément émet un petit jet de vapeur qui permet d'identifier la source d'énergie et offre un contrepoint visuel à la ligne tranchante de la machine. Dans sa peinture intitulée *Rolling Power* ("Puissance motrice", collection du Smith College Museum of Art, Northampton, Massachusetts) qui s'inspirait de cette photographie, Sheeler a saisi l'essence mécanique des roues par des coups de pinceaux concis et une palette monochrome. JM

46 WEEGEE
   (Arthur Fellig)
   Américain (né en Pologne),
   1899–1968
   Leur premier meurtre,
   avant 1945

   Tirage à la gélatine et à l'argent
   25,7 x 27,9 cm
   86.XM.4.6

   Détail au verso

Immigrant polonais, Weegee – dont le nom vient de la planche Oui-ja (prononcé "wee-gee" dans son pays d'adoption) – est surtout connu pour ses descriptions singulières des faits divers des rues de New York, la ville la plus peuplée et la plus diverse culturellement des États-Unis. Weegee avait le don étrange de se trouver sur les lieux d'un meurtre, d'un incendie ou d'une autre catastrophe avant l'arrivée des autorités ; pour cela, il écoutait la radio de la police – d'où son pseudonyme. Photographe autodidacte, il gagnait difficilement sa vie et parvint plus tard à une certaine célébrité comme photographe indépendant spécialisé dans les images criminelles pour les tabloïds de New York. Un grand nombre de ses photographies avaient pour sujet les spectateurs et les badauds qui venaient s'attrouper sur les lieux d'un événement juste après qu'il se se fut produit. La représentation du corps d'un homme assassiné est forcément limitée, tandis que la foule qui l'entoure offre une palette infinie d'émotions et de réactions. Weegee prit également beaucoup de photographies des différents milieux new-yorkais – élite aisée assistant à une première à l'opéra aussi bien que clochards ivres du Bowery.

Le titre de cette photographie dément son atmosphère de carnaval, tout en donnant une idée du cynisme et du désordre règnant dans la ville de New York. Le spectateur se trouve en présence d'une foule enchevêtrée où chacun s'efforce de regarder une catastrophe invisible. La beauté de cette photographie réside dans la gamme des émotions qui la traversent : joie, curiosité, colère, peur. La douleur se lit sur le visage d'une femme, parente de la victime, presque perdue au milieu des têtes qui se pressent autour d'elle. Le flash de Weegee baigne les spectateurs dans une lumière crue, peu flatteuse, tout en plongeant l'arrière-plan dans l'obscurité. La nécessité de livrer aux rédactions dans les meilleurs délais des photographies qui étaient ensuite imprimées sur des presses en demi-teinte rendait inutile un tirage soigné. Les photographies de Weegee annoncent l'arrivée des grands maîtres de la photographie que seront plus tard Robert Frank, Garry Winogrand et Diane Arbus.   JM

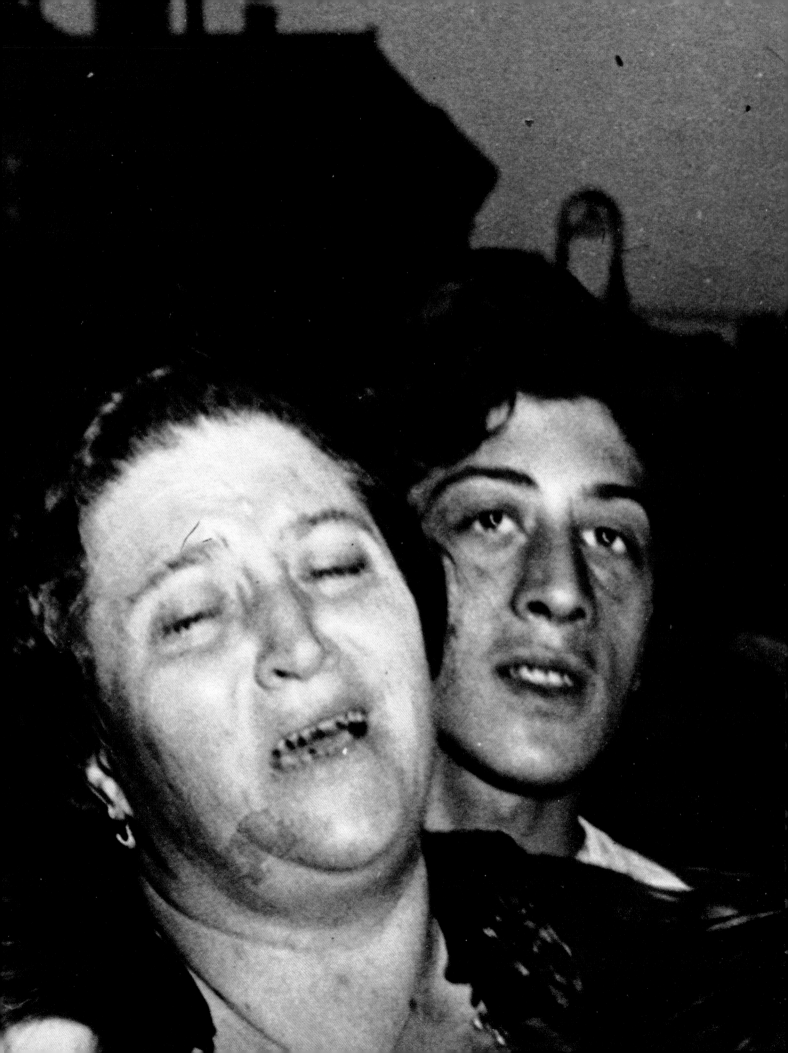

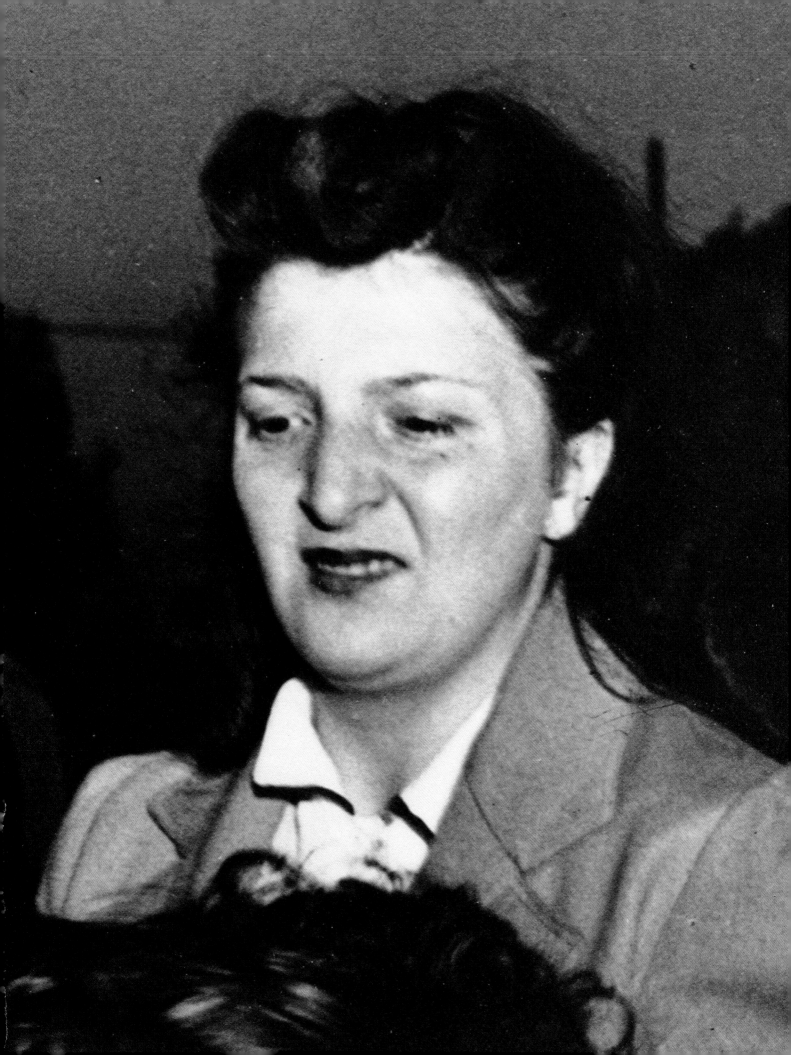

47 LISETTE MODEL
Américaine (née en Autriche),
1901–1983
Reno, 1949

Tirage à la gélatine et à l'argent
34 x 27 cm
84.XM.153.63

Née à Vienne, Elise (Lisette) Stern vint s'installer à Paris dans sa jeunesse et étudia la musique et la peinture avant de devenir photographe professionnelle. Trois femmes lui enseignèrent la photographie et l'encouragèrent dans sa nouvelle vocation : sa sœur Olga, Rogi André (la première femme d'André Kertész) et la grande spécialiste du photomontage, Florence Henri. En 1938, Lisette et son mari, le peintre Evsa Model, émigrèrent à New York. La jeune femme y rencontra un succès croissant dans le photo-journalisme, publiant ses photographies dans *PM Weekly*, *Harper's Bazaar*, *Life*, *Look*, *Vogue* et le *Ladies Home Journal*. L'ouverture en 1940 du département de photographie du Museum of Modern Art, qui exposa et collectionna rapidement ses travaux, lui donna l'occasion de toucher un nouveau public.

Dans les années 1940, Lisette Model travailla non seulement à la préparation de ses expositions et à ses reportages sur la vie dans les cafés de New York, mais se rendit aussi en mission dans l'Ouest. Pour le numéro de novembre 1949 de la série du *Ladies Home Journal* intitulée "How America Lives" (Comment vit l'Amérique), le magazine envoya Lisette Model à Reno faire un reportage sur la famille Winne, considérée comme "typique", et qui dirigeait le Lazy A Bar Ranch. La photographe fit des portraits de la famille, mais ses prises de vues et son article final reflétaient un intérêt tout aussi grand pour les hôtes du ranch – pour la plupart des femmes passant là les six semaines de résidence nécessaires au divorce – et les joueurs omniprésents à Reno.

Aucune des photographies prises par Lisette Model au rodéo local, dont celle-ci est tirée, ne parurent parmi les images de la vie oisive au ranch et des émotions fortes du casino qui illustrèrent l'article "How Reno Lives". Toutefois, ce portrait offre des contrastes saisissants : le regard provocant de la femme est à la fois séducteur et réservé, cosmopolite et provincial, féminin et masculin. Il est difficile de dire si le sujet est une récente divorcée à l'air audacieux qui prend plaisir à assister à un rodéo sur un cheval sauvage ou s'il s'agit d'une épouse angoissée attendant le jugement qui doit mettre fin à une relation brisée. Les rédacteurs en chef de la revue se dirent peut-être que le regard intense dissimulé derrière les lunettes ornées de faux diamants risquait d'effrayer leurs lectrices plutôt que de les amuser.   JK

48 JOSEF SUDEK
Tchèque, 1896–1976
Dernières roses, 1959

Tirage à la gélatine et à l'argent
29,7 x 23,5 cm
84.XM.149.13

Détail au verso

La tristesse implicite de cette photographie se retrouve dans son titre qui indique clairement que cette composition limpide ne représente pas un pluvieux jour d'été. La saison touche à sa fin et, si les arbres n'ont pas encore perdu leurs feuilles, il n'y aura désormais plus de fleurs avant la fin du long hiver tchèque. L'atmosphère élégiaque de cette image est caractéristique de l'œuvre de Sudek après qu'il se fut détourné de ses études de l'architecture baroque à Prague et de ses vues panoramiques plus tardives de la ville et des paysages pour réaliser des natures mortes contemplatives qu'il prenait dans sa maison et dans son jardin ainsi que dans ceux de ses amis. Il finit par réaliser une série de natures mortes mémorables, placées soit sur le rebord d'une fenêtre dont les vitres étaient souvent dégoulinantes de pluie, soit sur une table ronde au centre de sa maison.

L'ordre rigoureux imposé par la prise de vue contraste avec le désordre qui régnait hors du champ de l'appareil. Les pièces de la maison de Sudek étaient remplies, presque plus qu'elles n'en pouvaient contenir, d'un amoncellement chaotique d'objets trouvés, de cadeaux, de journaux, de souvenirs de famille, de matériel photographique, de négatifs et d'épreuves accumulés durant toute sa vie. Il avait un talent évident pour choisir quelques éléments au milieu d'une pléthore d'objets. Ici, un verre d'eau avec trois roses, un coquillage de porcelaine, trois punaises, le couvercle d'un objectif, une pile de livres et un vase avec les deux moitiés d'une coquille d'œuf sur son ouverture suffisent. La délicatesse des pétales des fleurs, presque palpable, est mise en valeur par le contraste avec les gouttes de pluie qui dégoulinent sur la vitre.

Les qualités poétiques des travaux de Sudek lui valurent la reconnaissance des milieux artistiques tchèques, mais il serait peut-être plus exact d'établir une analogie avec sa passion pour la musique qui l'amena à organiser des concerts hebdomadaires. Cette œuvre mélancolique peut être envisagée aussi bien comme une étude de crépuscule que comme un requiem pour une saison.   GB

49 FREDERICK SOMMER
Américain, né en 1905
*Vierge à l'Enfant avec sainte
Anne et saint Jean enfant*, 1966

Tirage à la gélatine et à l'argent
24 x 17,7 cm
94.XM.37.39

Au cours d'une carrière qui s'étend sur plus de soixante ans, Frederick Sommer a produit des photographies en nombre relativement restreint mais d'une qualité exceptionnelle. Artiste aux talents multiples – qu'il exprima à travers ses dessins, ses collages, ses peintures et ses projets paysagers et architecturaux –, Sommer s'orienta vers la photographie après sa rencontre avec Edward Weston en 1936 à Los Angeles (voir no. 32). Tout en ayant toujours tenté d'égaler l'art consommé de Weston, Stieglitz et Strand dans le tirage d'épreuves, Sommer envisageait la photographie selon une philosophie très différente. Il avait choisi ce moyen d'expression non pas pour décrire l'apparence du monde, mais pour poser des questions à son sujet et explorer la nature des choses.

L'imagination et la transformation sont au centre de son art. Il a réalisé de remarquables photographies de natures mortes composées d'objets qu'il avait rassemblés durant de nombreuses années. Après une longue étude de ses matériaux, Sommer disposait les éléments qui allaient composer ses photographies de façon précise. Il a déclaré à propos de sa manière de procéder : "Si je les trouvais dans la nature, je les photographierais. Je les construis moi-même parce que, par la photographie, j'obtiens une connaissance de choses qui sont autrement introuvables."

Pour créer cette composition, Sommer a associé une illustration d'un livre pour enfant du XIXᵉ siècle à un morceau de métal fondu et durci de forme étrange qu'il a trouvé dans les débris brûlés d'une épave d'automobile. Travaillant avec un appareil grand format, il a transformé l'échelle et l'effet des éléments pris séparément au moyen d'un verre dépoli. Les contours du fragment de métal fondu évoquent la disposition des personnages dans le dessin que Léonard de Vinci a réalisé sur le même sujet, que l'on peut voir à Londres à la National Gallery. La cohérence formelle de l'agencement des matériaux est complétée par une distribution mesurée de l'ombre et de la lumière sur le fragment ; elle sert de contrepoint parfait à la gamme de tons homogène de l'illustration. L'assemblage d'éléments picturaux si disparates dans un ensemble harmonieux témoigne du respect de Sommer pour le processus d'assemblage et d'organisation à partir duquel apparaissent de nouvelles significations.   JC

50 EDMUND TESKE
    Américain, 1911–1996
    Cactus, Taliesin West,
    Scottsdale, Arizona, 1943

    Tirage à la gélatine et à l'argent,
    solarisation bichrome des années
    1960
    33,7 x 24,8 cm
    94.XM.29.2

Dans ses travaux très divers réalisés sur une période de plus de soixante ans, Edmund Teske a régulièrement considéré la photographie comme un moyen d'exprimer sa réponse intensément personnelle et très imaginative au monde qui l'entourait et qu'il avait en lui. Ses photographies sont imprégnées d'un symbolisme personnel dont les racines plongent dans les poèmes de Walt Whitman et dans la philosophie hindouiste du Vedânta. Teske, alchimiste de la chambre noire, créait des images faisant preuve d'une grande sensibilité technique et émotionnelle et emplies d'un esprit mystique et poétique.

Né à Chicago, Teske s'intéressa à la photographie dès l'école ; il développa ses dons dans la chambre noire qu'il avait construite dans la cave de la maison familiale. Travaillant seul la plupart du temps, il s'appuya beaucoup sur les premiers écrits d'Ansel Adams pour apprendre les rudiments de la lumière, de l'optique et de la technique du développement. En 1934, il se fit engager comme assistant dans un studio commercial où il perfectionna son savoir-faire technique qui devait constituer la base de son exploration intuitive de la photographie tout au long de sa vie. En 1936, il bénéficia d'une bourse de deux ans pour travailler auprès de l'architecte Frank Lloyd Wright dans sa maison de Taliesin East à Spring Green, dans le Wisconsin. Dans ce qui fut la première photographie réalisée à Taliesin, Teske a montré l'architecture et le parc tout en s'imprégnant de l'enseignement du charismatique architecte.

En 1943, Teske quitta Chicago pour Los Angeles où il vécut jusqu'à sa mort, en 1996. Lors de son voyage vers l'ouest, il s'arrêta dans la résidence d'hiver de Wright, Taliesin West, à Scottsdale dans l'Arizona, où il réalisa cette étude saisissante d'un oponce qui poussait dans le désert entourant les bâtiments. Vingt ans plus tard, il reprit le négatif et en refit un tirage spectaculaire au moyen de sa technique personnelle de solarisation bichrome, au résultat imprévisible. Cette méthode consiste à exposer à la lumière l'épreuve partiellement développée puis à la replonger dans le révélateur pour obtenir sur le tirage final une surface à l'aspect poli dans de riches nuances de bleu cobalt et de brun-roux profonds. La forme totémique du cactus paraît flotter à la surface et constitue une image à la fois descriptive et fortement abstraite, union des contraires que Teske qualifiait de "très belle combinaison circulaire entre deux niveaux d'existence".

                                                                    JC

INDEX DES ARTISTES

Les chiffres font référence aux numéros des pages